Mes
classiques
préférés

Recettes étape par étape

L'ATELIER DE

DANIEL
VÉZINA

Catalogage avant publication de Bibliothèque et Archives nationales du Québec et Bibliothèque et Archives Canada

Vézina, Daniel,

L'atelier de Daniel Vézina : mes classiques préférés : recettes étape par étape

Comprend un index.

ISBN 978-2-89705-176-1

1. Cuisine. 2. Cuisine - Technique. 3. Accord des vins et des mets. 4. Livres de cuisine. I. Titre.

TX651.V492 2013   641.5   C2013-941937-3

Présidente Caroline Jamet
Directrice de l'édition Martine Pelletier
Directrice de la commercialisation Sandrine Donkers

Éditrice déléguée Sylvie Latour
Conception de la couverture Yanick Nolet, Rachel Monnier
Grille intérieure Yanick Nolet
Direction photo et stylisme culinaire Marc Maulà
Photographe Marc Couture
Sommelier Hugo Duchesne
Mise en pages Célia Provencher-Galarneau
Révision linguistique Sophie Sainte-Marie
Correction d'épreuves Yvan Dupuis

L'éditeur bénéficie du soutien de la Société de développement des entreprises culturelles du Québec (SODEC) pour son programme d'édition et pour ses activités de promotion.

L'éditeur remercie le gouvernement du Québec de l'aide financière accordée à l'édition de cet ouvrage par l'entremise du Programme de crédit d'impôt pour l'édition de livres, administré par la SODEC.

L'éditeur reconnaît l'aide financière du gouvernement du Canada par l'entremise du Fonds du livre du Canada (FLC).

LES ÉDITIONS **LA PRESSE**
Les Éditions La Presse
7, rue Saint-Jacques
Montréal (Québec)
H2Y 1K9

Mes
classiques
préférés

Recettes étape par étape

L'ATELIER DE

DANIEL
VÉZINA

En collaboration avec

Marc Maulà, Marc Couture
et Hugo Duchesne

LES ÉDITIONS **LA PRESSE**

Avant-propos

Je dédie ce livre d'abord à mon fils Raphaël. Je veux lui léguer cet ouvrage afin qu'il n'oublie jamais que les grands classiques en cuisine sont une source intarissable d'enseignements et d'idées qui pourront le mener à créer de nombreuses recettes. Celles présentées ici sont des valeurs sûres qui pourront lui servir de bases, venir appuyer un nouveau concept ou tout simplement lui faire cuisiner des plats savoureux avec sa famille et ses amis.

Dans la foulée de tous les projets auxquels je participe présentement, celui-ci me tenait particulièrement à cœur. Mes multiples activités font que le temps me manque pour transmettre à Raphaël les connaissances que j'ai acquises depuis 30 ans. C'est donc avec fierté et beaucoup de plaisir que je lui offre *Mes classiques préférés*.

Ce livre, je le dédie également à tous les jeunes cuisiniers d'ici qui n'ont pas eu la chance d'apprendre cette cuisine classique française qui est, disons-le, à la base de la gastronomie québécoise et même mondiale.

C'est ma façon de rendre hommage aux créateurs de ces grands classiques qui se sont arrêtés pour réfléchir et mettre au point des recettes qui ont traversé plusieurs générations. Les grands classiques ne se démodent pas. Parfois, on les oublie un moment, mais on y revient toujours. C'est comme un opéra de Verdi, un poème de Verlaine ou un film de Fellini.

Dans cet ouvrage, tout a été pensé pour vous accompagner dans la préparation de vos plats. Des photos étape par étape et des consignes claires pour vous faciliter les choses. J'ai aussi ajouté mes trucs et astuces acquis tout au long de ma carrière, ces détails qui font la différence entre réussir ou rater une soupe de poisson ou un bœuf Wellington, par exemple. Les lecteurs québécois et les jeunes chefs m'ont rassuré dans mon choix de toujours vouloir donner un maximum d'outils pour réussir des recettes. Une image vaut mille mots, et c'est encore plus vrai avec des recettes.

Bien entendu, au fil des ans, j'ai aussi ajouté ma touche personnelle à ces classiques. Je tiens à remercier, ici, tous les cuisiniers, gourmands et amis qui m'ont enseigné ces recettes et qui ont pris le temps de goûter et de critiquer mes plats afin qu'ils soient toujours meilleurs. Vous devrez le faire à votre tour. C'est notre façon de participer à l'évolution de la cuisine et de la personnaliser tout en respectant ses bases.

J'ai demandé également à mon complice sommelier Hugo Duchesne, avec qui parler de vin devient une expérience en soi, de participer à cet ouvrage. Marier des vins à mes plats était chose facile pour lui, mais je savais qu'il irait plus loin en offrant des pistes plus larges, afin de ne pas vous confiner à une étiquette, mais plutôt de vous guider dans vos choix, de cibler des cépages, des régions et des goûts particuliers qui pourraient vous mener sur la route du parfait accord.

Connaître les techniques de base et les grands classiques est d'une importance capitale si l'on veut bien comprendre la cuisine et éventuellement être capable de créer de bons plats. À titre de mentor, il me fait plaisir de vous accompagner dans cette progression. Merci infiniment de me suivre et de m'encourager dans ce processus de transmission de mes connaissances, ce qui est devenu une priorité pour moi ces dernières années avec ma participation à l'émission *Les Chefs !* et la publication de mes livres de cuisine.

Daniel Vézina

Les entrées

11

AILES DE POULET STYLE BUFFALO

Temps de préparation : 30 minutes / Temps de macération : 2 à 12 heures
Temps de cuisson : 35 minutes / Rendement : 30 morceaux

Ingrédients

15 ailes de poulet entières
Huile de tournesol pour la friture

Sauce
30 ml (2 c. à soupe) de beurre, fondu
5 ml (1 c. à thé) de graines de céleri
2,5 ml (½ c. à thé) de *raz el hahout*
ou poivre de Cayenne

5 ml (1 c. à thé) de sel d'ail
175 ml (¾ tasse) de sauce aux
piments (style Red Hot)
30 ml (2 c. à soupe) de vinaigre
de vin rouge
30 ml (2 c. à soupe) de cassonade
10 ml (2 c. à thé) de sauce HP
125 ml (½ tasse) de ketchup

Technique

1. Couper chaque aile de poulet à
ses deux articulations (A – B) et
jeter l'extrémité pointue (B).

Couper le bout de l'os du
premier morceau avec des
ciseaux et le jeter (A).

À l'aide d'un couteau, inciser
le deuxième morceau entre
les deux os (C).

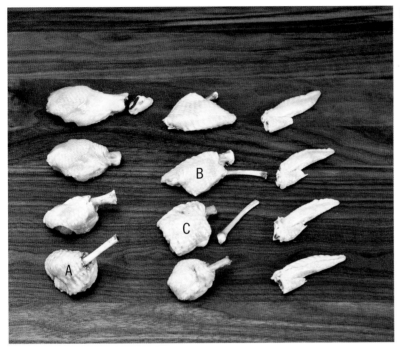

2. Avec les doigts, appuyer sur la peau du premier morceau et la faire glisser sur l'os pour le dégager aux deux tiers (A). Réserver.

Procéder de la même façon avec le deuxième morceau et dégager les deux os (B).

Retirer le plus long des deux os et conserver l'autre sur l'aile (C).

3. Dans un grand bol, mettre tous les ingrédients de la sauce et bien mélanger.

Réserver la moitié de cette sauce pour badigeonner les ailes lors de la cuisson.

Ajouter les ailes à la préparation, bien les enrober et faire mariner au moins 2 heures au réfrigérateur, idéalement 12 heures.

4. Égoutter et cuire les ailes par groupes de 10 dans un bain de friture chauffé à 180 °C (350 °F) environ 5 minutes. Les ailes doivent être bien dorées et cuites aux deux tiers environ.

Les déposer sur du papier absorbant.

5. Préchauffer le four à 200 °C (400 °F).

Placer les ailes de poulet précuites sur une plaque de cuisson.

À l'aide d'un pinceau, les badigeonner généreusement de sauce.

Cuire au four 15 minutes.

Passer les ailes sous le gril (*broil*) environ 5 minutes pour les dorer, en les retournant de temps en temps pour obtenir une cuisson égale.

6. Retirer du four et servir sur un plat de service avec de petits bols remplis de crème sure et des quartiers d'agrumes.

Attendre 2 ou 3 minutes avant de déguster, pour ne pas se brûler.

Astuces et tours de main

Pour un goût plus prononcé, badigeonner les ailes une ou deux fois pendant le rôtissage.

On peut éviter la friture en rôtissant les ailes directement au four à 180 °C (350 °F) de 50 à 60 minutes et en commençant à les badigeonner à la mi-cuisson. À la fin, les passer sous le gril (*broil*) en les surveillant de près pour éviter qu'elles brûlent.

L'accord du sommelier

Accompagner d'un pinot noir souple, fruité et légèrement marqué par le bois du Nouveau Monde, comme ceux de la vallée de Sonoma (États-Unis), de la péninsule du Niagara et de Central Otago (Nouvelle-Zélande). Pourquoi pas un champagne Rosé de Saignée, qui allierait le fruité d'un vin rouge léger et l'acidité d'un vin blanc sec?

BOURGOTS À LA FAÇON DES ESCARGOTS DE BOURGOGNE

Temps de préparation : 2 heures / Temps de cuisson : 20 minutes / Portions : 4

Ingrédients

Beurre d'escargot

454 g (1 lb) de beurre, demi-sel

½ botte de persil plat, sans les tiges

3 grosses gousses d'ail,
hachées finement

1 grosse échalote française,
hachée finement

2,5 ml (½ c. à thé) de graines d'anis

5 ml (1 c. à thé) de sel

5 ml (1 c. à thé) de poivre noir, moulu

2,5 ml (½ c. à thé) de piment
d'Espelette

30 ml (2 c. à soupe) de Pernod
ou de Ricard

30 ml (2 c. à soupe) de glace
de viande ou de demi-glace

Bourgots

24 gros bourgots vivants

2 litres (8 tasses) de court-bouillon
(p. 154)

150 g (5 oz) de beurre d'escargot

Technique

1. Rincer les bourgots vivants sous l'eau froide et les faire tremper quelques heures dans l'eau pour les dégorger.

Préparer le beurre d'escargot. Dans le bol d'un robot culinaire, mélanger le beurre et le persil jusqu'à l'obtention d'un beurre très vert. Ajouter l'ail et l'échalote.

Assaisonner avec l'anis, le sel, le poivre et le piment d'Espelette. Terminer avec le Pernod ou le Ricard et la glace de viande.

2. Verser le court-bouillon dans une rôtissoire, ajouter les bourgots et faire bouillir 10 minutes.

Laisser refroidir les bourgots dans le court-bouillon.

3. Une fois les bourgots refroidis, les égoutter.

À l'aide d'une fourchette, les extraire de leur coquille d'un mouvement circulaire.

Couper l'ongle avec un couteau.

Réserver les coquilles.

4. Faire une incision à l'extrémité du pied et presser avec la pointe du couteau, puis retirer l'appendice à l'aide d'une pince.

Couper les bourgots en 2.

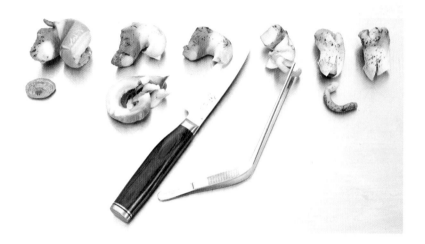

5. Remplir le fond de chaque coquille vide d'un peu de beurre d'escargot.

Ajouter un demi-bourgot, bien l'enfoncer et remplir le reste de la cavité de beurre.

Lisser avec une petite spatule et réserver.

Préchauffer le four à 190 °C (375 °F).

Déposer les bourgots sur une plaque de cuisson recouverte de gros sel humide. Mettre au four environ 10 minutes pour faire fondre le beurre et le colorer légèrement.

6. À la sortie du four, déposer les bourgots sur un plateau de bois ou des assiettes recouvertes de petits tas de sel humide.

Servir avec des pinces à escargots et de petites fourchettes.

Astuces et tours de main

Pour nettoyer les coquilles vides de bourgots, les mettre dans une casserole d'eau additionnée de 15 ml (1 c. à soupe) de bicarbonate par litre d'eau. Porter à ébullition et laisser bouillir 1 ou 2 minutes. Rincer et répéter l'opération.

Cette technique aide aussi à retirer l'appareil digestif du bourgot, qui reste souvent emprisonné au fond de la coquille. Il suffit de tenir la coquille entre les doigts et de donner de grands coups dans le vide pour le libérer.

Le sel humide permet de maintenir les coquilles de bourgots en équilibre lorsqu'elles sont au four et d'éviter que le beurre fondu se renverse.

On peut également réaliser cette recette en remplaçant les bourgots par des escargots.

L'accord du sommelier

Ce plat appelle un chardonnay de Bourgogne aux notes florales et herbacées. Un Saint-Véran sec, minéral et rond, avec de l'ardeur en bouche, où gras et acidité s'équilibrent, posséderait la chair et la longueur requises. Un Mâcon Villages au bon support acide ou un Rully marqué par le fruit s'avèrent de subtiles équivalences.

CEVICHE DE POISSON

Temps de préparation : 30 minutes / Temps de macération : 15 à 30 minutes maximum / Portions : 4 à 6

Ingrédients

1 bar rayé ou noir entier de 454 g
   (1 lb) ou 275 g (10 oz) de filets
½ poivron rouge, coupé en lamelles
½ poivron vert, coupé en lamelles
½ poivron jaune, coupé en lamelles
15 ml (1 c. à soupe) de sel

Marinade
75 ml (⅓ tasse) de jus de lime
2 oignons verts, hachés
15 ml (1 c. à soupe) de gingembre
   haché finement

½ piment oiseau, haché
Feuilles de coriandre, hachées, au goût
60 ml (¼ tasse) d'huile d'olive
60 ml (¼ tasse) d'huile de pépins
   de raisin
2 tomates moyennes ou 75 ml
   (⅓ tasse) de jus de tomate
Sel et poivre du moulin

Technique

1. Pour un gage de fraîcheur, utiliser de préférence un bar entier.

   Choisir un poisson à l'œil vif, à la chair ferme et aux ouïes d'un rouge écarlate.

2. Couper les nageoires du poisson à l'aide de ciseaux.

Avec un couteau à fileter, lever les filets*.

3. Retirer la peau ainsi que la partie rougeâtre sous les filets avec un couteau.

À l'aide d'une pince, retirer les arêtes. Plus les arêtes sont difficiles à arracher, plus le poisson est frais et de qualité.

4. À l'aide d'un couteau à sashimi, couper les filets en petites tranches minces.

Dans un bol, mélanger les poivrons avec le sel et les faire dégorger quelques minutes.

5. Dans un cul-de-poule, déposer les tranches de poisson et les recouvrir de jus de lime.

Placer le cul-de-poule sur un autre récipient rempli de glace.

Laisser mariner le poisson seul dans le jus de lime 15 minutes, puis ajouter les oignons verts, le gingembre, le piment oiseau, la coriandre et les huiles.

Saler, poivrer et bien mélanger. Réserver.

Rincer les poivrons sous l'eau froide et les presser pour retirer leur eau de végétation. Réserver.

6. Au moment de servir, réduire les tomates en jus à l'aide d'un mélangeur à main.

Passer le jus au chinois, puis l'ajouter à la préparation.

Ajouter les poivrons et mélanger le tout délicatement.

Rectifier l'assaisonnement.

Servir accompagné de tortillas.

Astuces et tours de main

Les poissons à chair blanche comme les dorades et le flétan ou certains fruits de mer comme les pétoncles sont également excellents en ceviche.

Pour le ceviche, il est important de tailler le filet de poisson en fines tranches dans le sens de la largeur et légèrement en diagonale.

Veiller également à ne pas trop abuser de la coriandre fraîche pour ne pas masquer le goût du poisson.

Il est conseillé de préparer le ceviche au maximum 1 heure avant de le servir pour éviter de trop cuire le poisson.

* Pour en savoir plus sur la façon de fileter et de lever des filets de poisson, voir la technique dans *L'atelier de Daniel Vézina, Plus de 100 techniques et recettes de base*, p. 92.

L'accord du sommelier

Choisir un vin blanc aux arômes d'agrumes à l'acidité franche: un sauvignon blanc de la Loire ou de la Nouvelle-Zélande, ou même un pinot blanc d'Alsace pour une note d'originalité.

PAMPLEMOUSSES AUX CREVETTES ET À L'AVOCAT

Temps de préparation : 20 minutes / Temps de cuisson : aucun / Portions : 4

Ingrédients

2 pamplemousses roses
1 gros avocat ou 2 petits
Jus de 1 citron
225 g (½ lb) de crevettes fraîches de Sept-Îles
Sel et poivre

Vinaigrette aux herbes
30 ml (2 c. à soupe) d'huile de pépins de raisin
30 ml (2 c. à soupe) d'huile d'olive
45 ml (3 c. à soupe) de vinaigre balsamique blanc
30 ml (2 c. à soupe) de jus des pamplemousses roses

30 ml (2 c. à soupe) de ciboulette hachée
15 ml (1 c. à soupe) d'estragon haché

8 feuilles de cœur de romaine

Technique

1. Couper les pamplemousses en 2, puis découper le contour entre l'écorce et la chair à l'aide d'un couteau d'office bien affûté.

   Dégager les suprêmes en coupant de chaque côté entre les cloisons, puis les retirer délicatement.

   À l'aide d'une cuillère, retirer complètement ce qui reste au fond des demi-pamplemousses.

   Réserver une partie du jus des pamplemousses pour la vinaigrette.

   Réserver les fonds de pample-mousse pour la présentation.

2. Couper les avocats en 2 et retirer les noyaux.

Faire 3 incisions de haut en bas sur la peau de chaque demi-avocat avec la pointe d'un couteau, puis les peler*.

Couper la chair des avocats en cubes. Mettre les cubes dans un bol, puis les asperger de jus de citron pour les empêcher de noircir.

3. Préparer la vinaigrette. Dans un cul-de-poule, mélanger les huiles, le vinaigre, le jus des pamplemousses, les fines herbes et bien assaisonner.

4. Dans un autre cul-de-poule, mettre les crevettes, les suprêmes de pamplemousse et les cubes d'avocat, puis ajouter une partie de la vinaigrette.

Assaisonner de sel et de poivre, et mélanger délicatement.

5. Ciseler les feuilles de laitue romaine et les mélanger avec le reste de la vinaigrette.

Assaisonner légèrement, puis déposer la chiffonnade de laitue au fond des demi-pamplemousses.

6. Garnir les demi-pamplemousses avec la préparation de crevettes, de pamplemousses et d'avocats en prenant soin de bien équilibrer les ingrédients à l'intérieur de chacun.

Astuces et tours de main

Pour réaliser cette recette, les avocats doivent être mûrs, mais encore fermes.

La chair de crevettes fraîches de Sept-Îles apporte du moelleux et de la saveur à ce plat classique.

Par contre, si on utilise des crevettes surgelées, il est préférable de remplacer la vinaigrette par une mayonnaise maison (environ 125 ml / ½ tasse). La mayonnaise donnera plus de moelleux à la chair de crevette dégelée. De plus, veiller à bien presser les crevettes pour faire sortir l'eau avant de les utiliser.

Pour varier, farcir les demi-avocats plutôt que les fonds de pamplemousse. Dans ce cas, après avoir retiré le noyau, prélever la chair des avocats à l'aide d'une cuillère en ayant soin de ne pas endommager les coquilles.

*Pour en savoir plus sur la façon de dénoyauter et de peler un avocat, voir la technique dans *L'atelier de Daniel Vézina, Plus de 100 techniques et recettes de base*, p. 22.

L'accord du sommelier

Les vins québécois à base du cépage seyval ont des saveurs étonnantes d'abricot et de mangue, mêlées à des arômes de pain grillé, d'orange et de cire d'abeille. Ces saveurs fruitées rappellent la fraîcheur des agrumes et la persistance aromatique des fruits exotiques, derrière une richesse soyeuse, du corps et une bonne ampleur. Des vins du Québec à base de vandal-cliche et le Saint-Pépin sont tout aussi prometteurs.

POIREAUX, VINAIGRETTE AUX TOMATES

Temps de préparation : 30 minutes / Temps de cuisson : 20 à 30 minutes / Portions : 4

Ingrédients

2 gros poireaux
2 gousses d'ail, coupées
   en 2 et dégermées
500 ml (2 tasses) d'eau
1 bonne pincée de sel
1 branche de thym
2 feuilles de laurier frais
30 ml (2 c. à soupe) de jus de citron
60 ml (¼ tasse) d'huile d'olive

Vinaigrette aux tomates

3 grosses tomates ou 5 moyennes
   pour obtenir environ 600 ml
   (2 ⅓ tasses) de pulpe
45 ml (3 c. à soupe) de moutarde
   de Dijon
60 ml (4 c. à soupe) de vinaigre
   de vin rouge
2 jaunes d'œufs
250 ml (1 tasse) d'huile de pépins
   de raisin

45 ml (3 c. à soupe) de triple
   concentré de tomate
Fleur de sel et poivre

Garniture

Mini-tomates multicolores

Technique

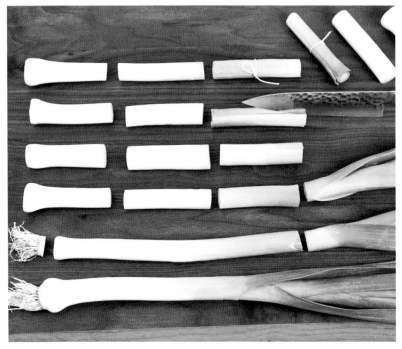

1. Nettoyer les poireaux sous l'eau froide.

Couper les racines au ras du blanc et éliminer l'extrémité vert foncé du poireau.

Trancher les poireaux en 3 ou 4 morceaux d'environ 6 à 8 cm.

2. Mettre les tronçons de poireau dans une casserole avec l'eau et le sel, puis ajouter les gousses d'ail, le thym, le laurier, le jus de citron et l'huile d'olive.

Cuire de 20 à 30 minutes à faible ébullition.

Vérifier la cuisson en perçant un tronçon avec la pointe d'un couteau. La lame doit traverser le poireau sans trop de résistance.

Laisser refroidir les poireaux dans leur jus de cuisson.

3. Couper les tomates en 2 et les épépiner.

Mettre les moitiés de tomates dans le récipient d'un mélangeur et les réduire en purée.

Passer la purée au chinois en pressant avec une louche pour conserver toute la pulpe et le jus.

4. Dans un cul-de-poule, mélanger la moutarde, le vinaigre et les jaunes d'œufs.

Incorporer doucement l'huile en filet pour émulsionner la préparation.

5. Ajouter le concentré et le coulis de tomates à la vinaigrette, et bien mélanger.

Rectifier l'assaisonnement.

6. Déposer les tronçons de poireau sur une assiette de service et les napper de vinaigrette aux tomates.

Assaisonner avec un peu de fleur de sel et du poivre.

Décorer avec quelques quartiers de mini-tomates multicolores.

Astuces et tours de main

Pour bien nettoyer les poireaux et éliminer complètement la terre sous les feuilles, il faut parfois les inciser avant de les passer sous l'eau froide. Dans ce cas, les ficeler après les avoir nettoyés pour éviter qu'ils se déroulent dans le bouillon pendant la cuisson.

Laisser refroidir les poireaux dans le bouillon de cuisson leur donne beaucoup de saveur.

Pour réussir parfaitement cette vinaigrette aux tomates, il suffit d'utiliser des tomates bien mûres et une bonne huile végétale.

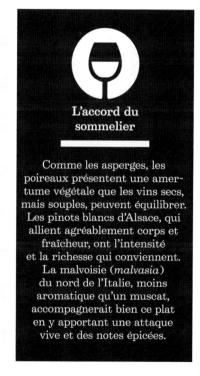

L'accord du sommelier

Comme les asperges, les poireaux présentent une amertume végétale que les vins secs, mais souples, peuvent équilibrer. Les pinots blancs d'Alsace, qui allient agréablement corps et fraîcheur, ont l'intensité et la richesse qui conviennent. La malvoisie (*malvasia*) du nord de l'Italie, moins aromatique qu'un muscat, accompagnerait bien ce plat en y apportant une attaque vive et des notes épicées.

RILLETTES DE SAUMON AUX ŒUFS DE TRUITE SAUMONÉE

Temps de préparation : 30 minutes / Temps de cuisson : 15 minutes / Temps de repos : 2 heures / Portions : 6 à 8

Ingrédients

1 litre (4 tasses) de court-bouillon
   (p. 154)
454 g (1 lb) de filets de saumon
2 grosses échalotes françaises,
   ciselées finement
30 ml (2 c. à soupe) d'huile d'olive
125 ml (½ tasse) de vin blanc
60 ml (¼ tasse) de crème 35 %
75 ml (⅓ tasse) de beurre, ramolli
30 ml (2 c. à soupe) de crème sure

45 ml (3 c. à soupe) de câpres
15 ml (1 c. à soupe) d'aneth ciselé
30 ml (2 c. à soupe) de ciboulette
   ciselée
30 ml (2 c. à soupe) d'œufs
   de truite saumonée
30 ml (2 c. à soupe) de jus de citron
Sel et de poivre du moulin

Technique

1. Préparer le saumon pour la cuisson. À l'aide d'un couteau, retirer la peau et la partie brunâtre sous les filets.

   Réserver.

2. Dans une casserole, faire chauffer le court-bouillon jusqu'à ébullition.

Baisser le feu, ajouter les morceaux de poisson et cuire 5 ou 6 minutes, à petits frémissements.

3. Retirer les morceaux de saumon, les égoutter et les déposer sur un plat.

4. Dans une poêle, faire revenir les échalotes dans l'huile d'olive, mouiller avec le vin blanc et réduire à sec.

5. Dans un petit cul-de-poule, monter la crème.

Dans un bol, mélanger délicatement avec une spatule, le saumon, les échalotes, le beurre ramolli, la crème montée, la crème sure, les câpres, l'aneth et la ciboulette.

Ajouter les œufs de truite saumonée à la toute fin pour ne pas les briser.

Rectifier l'assaisonnement, ajouter le jus de citron et mélanger délicatement.

6. Verser la préparation dans une terrine et la mettre au réfrigérateur au minimum 2 heures.

Servir les rillettes bien fraîches avec des tranches de pain grillé.

Astuces et tours de main

Le secret pour la réussite des rillettes est de ne pas trop faire cuire le saumon. Il doit rester mi-cuit.

Remplacer le beurre ramolli par la même quantité de crème sure donnera une saveur plus fraîche aux rillettes, mais elles seront moins fermes une fois refroidies. C'est une question de goût.

Les œufs de truite saumonée, en plus d'éclater en bouche, donnent du style à la préparation. Ils sont également plus fermes et croquants que les oeufs de saumon.

L'accord du sommelier

Choisir un vin blanc sec et aromatique qui allie structure et délicatesse, à la bouche rafraîchissante et exotique, telles une roussanne de la Savoie (Chignin Bergeron) ou une Vernaccia di San Gimignano (Toscane). Pour le dépaysement, un vin blanc de Santorini (Grèce) à base d'assyrtiko mènera à un autre monde de saveurs.

SALADE CÉSAR

Temps de préparation : 20 minutes / Temps de cuisson : 8 à 10 minutes / Portions : 6

Ingrédients

1 laitue romaine

Croûtons à l'ail
2 ou 3 tranches de pain de campagne
75 ml (⅓ tasse) d'huile d'olive
½ gousse d'ail, hachée
15 ml (1 c. à soupe) de persil haché

Vinaigrette
1 gousse d'ail
6 petits filets d'anchois
30 ml (2 c. à soupe) de câpres
Quelques branches de persil
2 jaunes d'œufs
15 ml (1 c. à soupe) de moutarde
de Dijon
15 ml (1 c. à soupe) de vinaigre de vin
rouge ou de vinaigre de xérès

100 ml (6½ c. à soupe) d'huile d'olive
45 ml (3 c. à soupe) de parmesan, râpé
Sel et poivre

Garniture
3 tranches de bacon cuit, émiettées
Copeaux de parmesan

Technique

1. Retirer le trognon de la laitue et éliminer les premières feuilles, si nécessaire.

Casser chaque feuille de laitue en 2 ou 3, avec les mains.

Tremper les feuilles dans l'eau froide pour les nettoyer et les raffermir au besoin, puis les essorer.

2. Couper les tranches de pain en petits croûtons de 1 cm × 1 cm.

Dans une poêle, frire les croûtons dans l'huile. Lorsqu'ils commencent à dorer, ajouter l'ail et le persil.

Poursuivre la cuisson jusqu'à ce qu'ils soient bien colorés.

Les égoutter dans un tamis, puis sur un papier absorbant.

3. Frotter vigoureusement un cul-de-poule en écrasant une gousse d'ail au fond et sur les parois du bol.

Hacher les anchois, les câpres et le persil. Réserver.

4. Mettre les jaunes d'œufs dans le cul-de-poule avec la moutarde de Dijon, puis les délayer avec le vinaigre de vin.

À l'aide d'un fouet, incorporer l'huile en filet, en remuant doucement.

5. Ajouter les anchois, les câpres, le persil, le parmesan, et assaisonner.

Ajouter la laitue au cul-de-poule et touiller à l'aide de deux cuillères en bois.

6. Dresser la salade César dans des assiettes.

Garnir de bacon cuit émietté et de croûtons, puis parsemer de copeaux de parmesan.

Assaisonner.

Astuces et tours de main

Pour réussir la salade César, il faut utiliser des ingrédients de première qualité: une bonne huile d'olive de première pression et du parmesan de type reggiano.

Il est important de casser délicatement les feuilles de laitue avec les mains, et non de les couper avec un couteau qui pourrait les faire rouiller. Si l'on persiste à vouloir tailler la laitue au couteau, il est préférable de le faire à la dernière minute.

Pour ceux qui trouvent l'huile d'olive trop présente en bouche, remplacer la même quantité d'huile par un mélange à parts égales d'huile d'olive et d'huile de pépins de raisin.

Autres points importants:

- Ajouter la laitue à la vinaigrette au dernier moment afin de conserver tout son croquant.
- Éviter de mettre trop de vinaigrette, ce qui pourrait détremper la salade.
- Attention également à l'ajout de sel, car les anchois sont salés et assaisonnent bien la vinaigrette.

TERRINE DE CAMPAGNE

Temps de préparation : 1 heure / Temps de cuisson : 1 h 45 / Temps de repos : 24 heures
Rendement : 2 terrines (en moules de verre de 1,5 litre ou 4 ½ x 8 ½ po)

Ingrédients

454 g (1 lb) de foies de volaille, parés

1 kg (2¼ lb) de flanc de porc, tranché

454 g (1 lb) de maigre de porc dans
l'échine, tranché

4 ou 5 branches de persil

3 gousses d'ail, coupées en 2
et dégermées

3 échalotes françaises, hachées

15 ml (1 c. à soupe) de beurre

3 tranches de pain, coupées en cubes

125 ml (½ tasse) de crème 35 %

3 jaunes d'œufs

45 ml (3 c. à soupe) de ciboulette,
thym et romarin hachés

30 ml (2 c. à soupe) de sel

10 ml (2 c. à thé) de poivre du moulin

7,5 ml (1½ c. à thé) de cinq-épices

30 ml (2 c. à soupe) de cognac
(ou brandy ou calvados)

1 kg (2¼ lb) de barde de lard

Quelques feuilles de laurier frais

Technique

1. Passer au hachoir à viande (avec la grille moyenne) les foies, le flanc et le maigre d'échine de porc, le persil et l'ail.

   Réserver.

2. Dans une poêle, faire revenir les échalotes françaises dans le beurre.

Laisser tiédir, puis les ajouter à la viande hachée.

Dans un cul-de-poule, faire tremper les cubes de pain avec la crème pendant 10 minutes.

3. Verser la préparation de pain dans le bol du malaxeur avec la viande et les échalotes, puis ajouter les jaunes d'œufs.

Ajouter les herbes, puis assaisonner avec le sel, le poivre, le cinq-épices et le cognac.

Malaxer pour rendre la préparation homogène.

4. Préchauffer le four à ou 160 °C (320 °F).

Chemiser avec la barde 2 terrines en fonte ou 2 moules à pain en pyrex.

Ajouter la viande, garnir avec quelques feuilles de laurier et cuire au bain-marie, au four, 1 h 45.

La température à cœur doit atteindre 85 °C (185 °F).

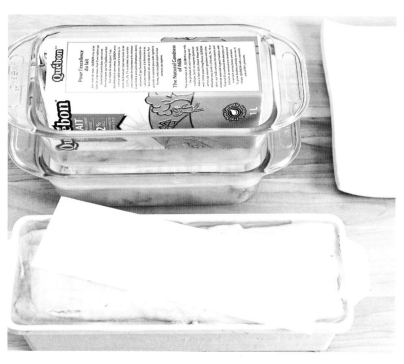

5. À la sortie du four, laisser tempérer 1 heure, puis mettre sous presse.

Pour ce faire, tailler une planchette de plastique ou de bois de la même dimension que l'intérieur de la terrine.

Déposer la planchette sur la terrine et placer un poids sur le dessus. Un contenant de lait de 1 ou 2 litres convient parfaitement.

Réserver au réfrigérateur au moins 24 heures.

6. Pour démouler, tremper la terrine 1 minute dans l'eau chaude, puis décoller les parois en passant une petite lame fine tout autour.

Dresser la terrine en la retournant sur un plateau de service.

Servir avec de petits cornichons au vinaigre, de la moutarde et un bon pain croustillant.

Au goût, on peut retirer toute la barde et consommer seulement la viande de la terrine.

Astuces et tours de main

Pour bien réussir une terrine de campagne, il faut prêter attention à quatre choses:

1. La viande utilisée doit respecter la proportion suivante soit deux tiers de chair maigre pour un tiers de gras.

2. Pour l'assaisonnement, calculer 7 g de sel et 1 g de poivre pour 454 g (1 lb) de viande.

3. Pour vérifier l'assaisonnement, prendre une petite quantité de farce crue, l'aplatir et la poêler quelques minutes. Goûter et rectifier l'assaisonnement au besoin, avant de remplir la terrine.

4. Il faut protéger la terrine avec de la barde pour éviter que ses contours, en contact direct avec la chaleur, cuisent trop.

La cuisson au bain-marie, au four, est excellente, car elle permet une cuisson plus uniforme et protège contre une chaleur trop directe.

L'accord du sommelier

Accompagner d'un vin rouge un peu relevé, bien structuré, aux notes d'épices et aux fragrances végétales, aux évocations profondes de sous-bois et de fruits noirs, dense et charnu comme un cabernet franc de Saumur-Champigny (Loire) ou un Dolcetto d'Alba (Piémont).

Les potages
et les soupes

45

BISQUE DE HOMARD

Temps de préparation : 30 minutes / Temps de cuisson : 1 h 15 / Portions : 6

Ingrédients

6 coffres de homards crus
45 ml (3 c. à soupe) d'huile d'olive
45 ml (3 c. à soupe) de cognac
   ou de brandy
1 oignon
2 branches de céleri
1 carotte
½ bulbe de fenouil
1 branche de thym
3 feuilles de laurier, frais
250 ml (1 tasse) de vin blanc

1,5 litre (6 tasses) de fumet
   de poisson ou d'eau
3 tomates
3 gousses d'ail, en chemise
30 ml (2 c. à soupe) de triple
   concentré de tomate
1 bonne pincée de safran
2 tranches d'orange
Crème (facultatif)
Sel et poivre

Technique

1. Décoller les coffres des têtes, puis les couper en 2 (A).

Dans une grande sauteuse, faire chauffer les coffres dans l'huile d'olive et bien les colorer.

2. Quand les coffres sont bien colorés, les flamber avec le cognac ou le brandy.

Entre-temps, couper les légumes en dés de grosseur moyenne.

3. Ajouter les légumes, le thym et le laurier aux coffres, et faire colorer 7 ou 8 minutes.

Déglacer avec le vin blanc et laisser réduire un peu.

4. Mouiller avec le fumet ou l'eau. Ajouter le reste des ingrédients, sauf la crème, et porter à ébullition.

Laisser mijoter à feu moyen au moins 30 minutes.

Ajouter la crème et poursuivre la cuisson de 20 à 30 minutes.

Faire attention de ne pas trop laisser réduire. Au besoin, ajouter un peu d'eau.

5. Passer au mélangeur à main, puis fouler au chinois métallique.

Ne pas utiliser un chinois trop fin, de manière à conserver de la chair de homard pour la texture.

6. Remettre la bisque dans une casserole et faire réduire un peu.

Lier au besoin avec du beurre manié (voir Astuces et tours de main).

Au moment de servir, ajouter une petite giclée de cognac.

Pour le service, déposer des dés de homard au fond des bols, puis verser la bisque.

Astuces et tours de main

Choisir les coffres plutôt que les carapaces, ils sont plus savoureux. Il faut les arracher à l'arrière de la tête des homards.

On peut faire cette bisque avec des morceaux déjà cuits. Après un repas de homards, conserver les coffres et les réserver pour préparer une bisque. Pour un bon résultat, prévoir au moins 6 coffres.

Cette bisque est encore plus délicieuse lorsqu'on y ajoute des tranches d'orange (photo de l'étape 4). Il faut les broyer avec les coffres.

Pour obtenir le maximum de saveur, il faut bien saisir les coffres, sans les faire brûler. Il ne sert à rien de cuire trop longtemps la bisque, elle peut prendre un goût d'amertume, surtout si on y ajoute des carapaces en plus des coffres.

Si la bisque est trop liquide, on peut ajuster sa texture en la liant avec du beurre manié. Pour le préparer, il suffit de mélanger environ un tiers de beurre mou (tempéré) pour deux tiers de farine. Incorporer 15 ml (1 c. à soupe) de beurre manié par litre de liquide en fouettant énergiquement. Faire cuire quelques minutes avant de servir.

L'accord du sommelier

Privilégier de grands bourgognes blancs, dans lesquels le chardonnay est minéral et puissant, comme certains meursaults, Saint-Aubin ou Puligny-Montrachet, quoique le xérès Fino servi à l'apéro, sec et oxydatif, soit tout à fait approprié. Et pourquoi pas un vin jaune du Jura?

CRÈME D'ASPERGES VERTES

Temps de préparation : 15 minutes / Temps de cuisson : 20 minutes / Portions : 6

Ingrédients

1 poireau entier
225 g (½ lb) d'oignons espagnols
2 gousses d'ail
7 à 8 feuilles d'épinards
2 bottes de 450 g (1 lb) d'asperges
 vertes fraîches
45 ml (3 c. à soupe) de beurre, clarifié
750 ml (3 tasses) d'eau

750 ml (3 tasses) de bouillon
 de volaille (p. 68)
Crème 35 %, au goût
Quelques gouttes d'huile
 de fines herbes
Piment d'Espelette
Sel et poivre du moulin

Technique

1. Couper le poireau en 2, le
nettoyer et l'émincer finement.

Éplucher et émincer
les oignons.

Dégermer les gousses d'ail
et les hacher finement.

Couper les épinards.

2. Nettoyer les asperges et les couper en petits morceaux.

Blanchir les pointes d'asperges en les plongeant de 2 à 3 minutes dans l'eau bouillante salée.

Les refroidir dans l'eau glacée, puis les réserver pour la garniture de la crème.

Dans une casserole, faire revenir le poireau, les oignons et l'ail dans le beurre clarifié, à feu doux.

3. Mouiller avec l'eau et le bouillon de volaille.

Assaisonner de sel et de poivre.

Laisser mijoter de 10 à 12 minutes ou jusqu'à ce que les oignons et le poireau soient cuits.

4. Ajouter les asperges au bouillon en ébullition.

Cuire jusqu'à ce que les asperges soient à point, de 3 à 4 minutes ou un peu plus selon la grosseur des morceaux.

5. Mettre les légumes et le bouillon en 2 ou 3 fois dans le bol d'un mélangeur avec quelques glaçons.

Pulser à vitesse maximum.

Passer au chinois.

6. Verser la crème d'asperges dans des bols à soupe.

Garnir de 2 ou 3 pointes d'asperges.

Ajouter quelques gouttes d'huile de fines herbes et une petite pincée de piment d'Espelette.

Astuces et tours de main	Pour réussir des crèmes de légumes verts, cuire d'abord les oignons et le poireau dans le bouillon, puis ajouter les légumes verts pour les blanchir. Cette méthode en 2 étapes est idéale pour obtenir une crème d'un vert éclatant.

Ajouter quelques glaçons dans le récipient du mélangeur permet de stopper la cuisson et de préserver la couleur.

Cette technique peut être utilisée pour confectionner des crèmes avec d'autres légumes. Il suffit de remplacer les asperges par des courgettes, des épinards, du brocoli, des têtes de violon ou de petits pois verts. Il faut faire attention toutefois à la quantité de liquide utilisée, qui peut varier d'un légume à l'autre.

Le bouillon de volaille donne de la saveur à cette crème délicate.

Pour empêcher que le potage soit trop liquide, ne pas verser tout le liquide de cuisson dans le bol du mélangeur au moment de pulser. Mieux vaut verser une première quantité de bouillon et ajouter le reste à la fin.

L'accord du sommelier

Un classique, avec les asperges, est le muscat sec d'Alsace, qui allie intensité et élégance, aux arômes de fleurs et de fruits exotiques. Sec, nerveux et structuré, son fruit a pour effet de gommer l'amertume des asperges. Sa puissance aromatique est telle qu'on a l'impression de croquer dans le fruit.

SOUPE AUX POIS

Temps de préparation : 35 minutes / Temps de cuisson : 4 heures / Temps de trempage : 12 heures / Portions : 8

Ingrédients

Bouillon

2 oignons, coupés en 2

2 clous de girofle

2 pattes de porc (jarrets) de 1 kg (2 ¼ lb)

1 blanc de poireau, coupé en tronçons

6 gousses d'ail, en chemise

2 feuilles de laurier, frais

1 branche de thym

3 litres (12 tasses) d'eau

Soupe

500 ml (2 tasses) de pois cassés jaunes

2 grosses carottes

3 branches de céleri

1 oignon

6 tranches épaisses (environ 150 g / ⅓ lb) de bacon

2 gousses d'ail, hachées

30 ml (2 c. à soupe) de beurre clarifié

1 bouquet garni (feuilles de céleri, thym, laurier et poivre en grains dans un vert de poireau ficelé)

2 litres (8 tasses) de bouillon de cuisson des pattes de porc

Chair de 2 pattes de porc

250 ml (1 tasse) de petits croûtons à l'ail*

Technique

1. Piquer les oignons avec les clous de girofle.

Dans un faitout, déposer les jarrets avec les oignons, le blanc de poireau, les gousses d'ail, les feuilles de laurier et le thym.

Couvrir avec l'eau et porter à ébullition.

Laisser mijoter environ 3 heures ou jusqu'à ce que les jarrets soient cuits. Au besoin, ajouter de l'eau pendant la cuisson.

2. Une fois la cuisson terminée, retirer les jarrets et la garniture du faitout, et passer le bouillon au tamis.

Retirer la couenne des jarrets et les désosser.

Couper la chair de porc en dés.

Réserver le bouillon pour la soupe.

Préparer la soupe. La veille mettre les pois cassés dans un grand récipient. Couvrir les pois d'eau froide au maximum 3 cm au dessus. Les laisser tremper une nuit.

3. Le lendemain, égoutter les pois.

Couper les carottes et les céleris en brunoise.

Hacher l'oignon finement.

4. Couper le bacon en petits lardons et les faire rôtir dans un grand faitout.

Ajouter l'ail et les légumes en brunoise, et les faire revenir avec le beurre clarifié.

5. Ajouter les pois cassés et mouiller avec le bouillon de cuisson des pattes de porc.

Ajouter le bouquet garni et cuire doucement de 30 à 45 minutes.

6. Ajouter les dés de chair de porc à la soupe.

Verser la soupe dans des bols, garnir de petits croûtons à l'ail et servir aussitôt.

| **Astuces et tours de main** | Il faut faire attention lorsqu'on prépare cette soupe, car les pois ont tendance à descendre et à coller au fond de la marmite. Il faut donc la remuer de temps en temps pendant la cuisson. Il est aussi très facile de la brûler lorsqu'on la réchauffe. |

Couper les légumes en brunoise demande un certain temps. Pour réduire le temps de préparation, passer tous les légumes au robot ou au hachoir à viande en utilisant une grille assez large pour éviter d'en faire une purée.

On peut faire cette soupe sans la chair des pattes de porc ni leur bouillon de cuisson, mais la soupe perd en saveur. Les pois cassés sont également plus savoureux que les pois à soupe et ils cuisent plus rapidement.

* Pour la technique des croûtons à l'ail, voir la recette de salade César, p. 36.

SOUPE DE POISSON

Temps de préparation : 30 minutes / Temps de cuisson : 1 h 30 / Portions : 6

Ingrédients

Bouillon

2 homards d'environ 650 g (1½ lb)
30 ml (2 c. à soupe) d'huile d'olive
75 ml (⅓ tasse) de pastis
   ou de Pernod
1 oignon moyen, émincé
1 poireau, coupé en rondelles
2 gousses d'ail, émincées
500 ml (2 tasses) de vin blanc

5 litres (20 tasses) d'eau
2 branches de thym
2 feuilles de laurier
1 bonne pincée de safran

Soupe

1 carotte
1 poireau
2 branches de céleri

30 ml (2 c. à soupe) d'huile d'olive
4 tomates, mûres
45 ml (3 c. à soupe) de triple
   concentré de tomate
450 g (1 lb) de queue de flétan
450 g (1 lb) de queue de saumon
225 g (½ lb) de pétoncles géants
   (10/20)
2 bonnes pincées de piment
   d'Espelette
Quelques feuilles de basilic, ciselées

Technique

1. Plonger les homards dans une grande casserole d'eau bouillante salée. Cuire les queues et les coffres 3 minutes, et les pinces, 6 minutes.

Décortiquer les homards et réserver la chair*. Concasser les carapaces et les coffres des homards.

Dans une grande casserole, saisir les carcasses concassées dans l'huile pour leur donner une belle coloration, puis les flamber avec le pastis.

Ajouter l'oignon, le poireau, l'ail, et faire revenir.

Ajouter le vin blanc, l'eau, le thym, le laurier et le safran.

2. Cuire à faible ébullition de 40 à 60 minutes.

Écumer régulièrement pendant la cuisson.

Tailler la carotte, le poireau et le céleri en julienne.

3. Passer le bouillon au chinois et réserver.

Dans une casserole, faire revenir les légumes dans l'huile.

4. Couper les tomates en dés et les ajouter au bouillon.

Ajouter le concentré de tomate et les légumes en julienne.

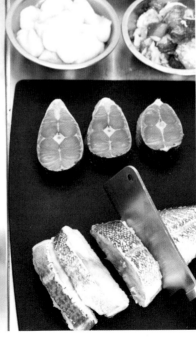

5. Couper les queues de saumon et de flétan en darnes, puis les ajouter au bouillon.

Cuire 5 minutes, puis ajouter les pétoncles. Poursuivre la cuisson quelques minutes.

Ajouter les morceaux de homard à la toute fin pour les réchauffer.

6. Sortir les poissons et les fruits de mer de la casserole, et les déposer sur un plat de service.

Retirer l'arête centrale et la peau des darnes.

Dresser les poissons et les fruits de mer dans une soupière et verser le bouillon dessus.

Au moment de servir, parsemer la soupe de basilic et de piment d'Espelette.

Astuces et tours de main

Cette recette de soupe de poissons est beaucoup plus simple à réaliser qu'une bouillabaisse classique.

Pour accentuer le goût de la soupe, utiliser une quantité égale d'eau et de fumet de poisson.

Elle permet aussi d'utiliser les poissons ou les fruits de mer que l'on a sous la main.

Le temps de cuisson varie selon l'épaisseur du poisson. Il diffère également selon que le poisson est frais ou congelé ou cuit avec ou sans arêtes.

* Pour en savoir plus sur la façon de cuire et de décortiquer le homard, voir la technique dans *L'atelier de Daniel Vézina, Plus de 100 techniques et recettes de base*, p. 108.

L'accord du sommelier

L'intensité aromatique de ce plat appelle un vin dont la complexité et le mordant sont sans pareils. Grande appellation du sud de l'Espagne, un xérès de type amontillado, oxydatif, frais et racé, propose un accord classique où les notes de noisette, de café et de safran relèvent les saveurs du mets et louangent le cépage palomino.

SOUPE MINESTRONE

Temps de préparation : 30 minutes / Temps de cuisson : 1 h 45 / Temps de trempage : 12 heures / Portions : 8 à 12

Ingrédients

Haricots

250 ml (1 tasse) de haricots
   cocos, secs
125 g (¼ lb) de lard salé, en morceaux
15 ml (1 c. à soupe) d'huile d'olive
   ou d'huile végétale
1 oignon, coupé en 2
2 clous de girofle
1 branche de thym
1 feuille de laurier, frais

Minestrone

2 tranches de pancetta, épaisses
1 gros oignon
30 ml (2 c. à soupe) d'huile d'olive
2 gousses d'ail, hachées
Quelques brins de thym ou de romarin
2 feuilles de laurier, frais
2 petites courgettes vertes
2 carottes moyennes

1 bulbe de fenouil
3 tomates, mondées
2 litres (8 tasses) de bouillon
   de volaille (p. 68)
1 morceau de croûte de parmesan
125 g (¼ lb) de coquillettes
500 ml (2 tasses) de haricots, cuits
Pesto maison, au goût
Quelques copeaux de parmesan

Technique

1. Préparer les haricots. Faire tremper les haricots toute une nuit dans l'eau froide. Choisir un récipient suffisamment grand pour contenir les haricots une fois réhydratés.

2. Dans une casserole, saisir les morceaux de lard dans l'huile.

Égoutter les haricots, puis les verser dans la casserole.

Piquer chaque moitié d'oignon avec un clou de girofle et les ajouter à la casserole avec le thym et le laurier.

3. Mouiller jusqu'à ce qu'il y ait 6 cm (2 po) d'eau au-dessus des haricots.

Cuire doucement de 45 minutes à 1 heure ou jusqu'à tendreté des haricots.

Au besoin, ajouter de l'eau durant la cuisson.

4. Une fois les haricots cuits, retirer de la casserole les moitiés d'oignon, les morceaux de lard, le thym et le laurier.

Égoutter les haricots et conserver l'eau de cuisson.

5. Préparer le minestrone. Couper les tranches de pancetta en petits cubes.

Ciseler finement l'oignon.

Dans une casserole, faire rissoler la pancetta, puis l'oignon dans l'huile d'olive.

6. Ajouter l'ail, le thym, les feuilles de laurier et faire revenir quelques minutes.

Couper les courgettes, les carottes et le bulbe de fenouil en macédoine.

7. Ajouter la macédoine de carottes et de fenouil à la préparation et faire revenir quelques minutes.

Réserver les courgettes.

Couper les tomates en 2, les épépiner et les couper en dés.

8. Ajouter les dés de tomate, le bouillon de volaille et la croûte de parmesan à la casserole.

Poursuivre la cuisson à feu doux environ 30 minutes.

Dans une autre casserole d'eau bouillante salée, cuire les coquillettes jusqu'à ce qu'elles soient *al dente*.

9. Environ 5 minutes avant la fin de la cuisson de la soupe, ajouter la macédoine de courgettes, les haricots cuits, leur bouillon de cuisson et les coquillettes cuites.

Retirer la croûte de parmesan.

10. Verser le minestrone dans une soupière et le servir dans des assiettes creuses.

Au dernier moment, ajouter un peu de pesto et quelques copeaux de parmesan râpé dans chaque assiette.

Astuces et tours de main

L'un des secrets pour réussir le minestrone est d'utiliser un bon bouillon de volaille ou, à tout le moins, une quantité égale d'eau et de bouillon.

Plutôt que de jeter les croûtes de parmesan, les conserver au congélateur et les utiliser pour parfumer les soupes.

Les courgettes changent de couleur et ramollissent rapidement. C'est pour cette raison qu'il faut les ajouter seulement quelques minutes avant la fin de la cuisson.

En août et en septembre, ne pas hésiter à utiliser des haricots cocos frais. Ils n'ont pas besoin de trempage et ils cuisent en moins de 30 minutes.

SOUPE POULET ET NOUILLES

Temps de préparation : 45 minutes / Temps de cuisson : 3 heures / Portions : 8 à 10

Ingrédients

Bouillon de volaille

3 petits poulets de grain entiers
d'environ 1 kg (2¼ lbs)
2 oignons
3 branches de céleri
1 tête d'ail, en chemise
2 branches de thym, frais
3 feuilles de laurier, frais
6 litres (24 tasses) d'eau froide

Soupe

30 ml (2 c. à soupe)
de gingembre, frais
1 botte de persil
250 ml (1 tasse) de pâtes alimentaires
(coquillettes)
5 ml (1 c. à thé) de curcuma,
en poudre

Technique

1. Préparer le bouillon. Désosser les poulets. Prélever les suprêmes sur les coffres et les conserver pour une autre utilisation.

2. Couper les oignons grossièrement.

Émincer les branches de céleri.

Défaire la tête d'ail en gousses et les laisser en chemise.

Déposer tous les légumes dans une grande marmite d'une capacité de 12 à 15 litres, avec le thym et le laurier.

Ajouter les carcasses, les cuisses et les ailes de poulet.

Couvrir avec l'eau froide et porter doucement à ébullition.

3. Laisser frémir 1 h 30, puis retirer les cuisses.

Poursuivre la cuisson de 1 heure à 1 h 30.

4. Retirer le poulet et les légumes, et passer le bouillon au chinois étamine ou au tamis muni d'un filtre à café.

Laisser tiédir, puis réserver au réfrigérateur.

Désosser les cuisses de poulet. Couper la chair en petits cubes et les réserver pour la soupe.

5. Préparer la garniture. Éplucher et hacher le gingembre finement.

Hacher le persil.

Sortir le bouillon du réfrigérateur, en retirer le gras à la surface, puis le porter à ébullition.

Ajouter les pâtes et les cuire jusqu'à ce qu'elles soient *al dente*.

6. Une fois les pâtes cuites, ajouter au bouillon le persil, le gingembre, le curcuma et les cubes de chair de volaille.

Laisser mijoter quelques minutes.

Servir aussitôt dans des bols à soupe.

Astuces et tours de main

Le bouillon de volaille se prépare en grande quantité. Il peut être utilisé pour confectionner toutes sortes de soupes et de potages ainsi que pour donner du goût aux plats mijotés et aux sauces.

Ce bouillon peut également se confectionner avec des restes de poulets rôtis. Dans ce cas, pour une même quantité de bouillon que la recette ci-dessus, bien désosser les carcasses de 3 poulets rôtis, puis les concasser avant de les mettre dans la marmite. Ajouter la garniture aromatique, puis mouiller avec l'eau froide. Cuire ensuite 1 heure à faible ébullition.

Pour une version asiatique de cette soupe poulet et nouilles, ajouter 1 bâton de citronnelle émincé, un peu de coriandre fraîche et quelques gouttes de soya dans le bouillon de base. Remplacer les coquillettes par des vermicelles de riz.

* Pour en savoir plus sur la façon de désosser le poulet, voir la technique dans *L'atelier de Daniel Vézina, Plus de 100 techniques et recettes de base*, p. 78.

Les pâtes
de base

73

GNOCCHIS AU FROMAGE DE CHÈVRE

Temps de préparation : 30 minutes / Temps de cuisson : 1 h 30 / Rendement : 6

Ingrédients

5 pommes de terre Yukon Gold

5 jaunes d'œufs

15 ml (1 c. à soupe) d'huile d'olive

Zeste de 2 citrons, hachés finement

15 ml (1 c. à soupe) de ciboulette, hachée

100 g (3½ oz) de fromage de chèvre, frais

100 g (¾ tasse) de farine

Sel et poivre

Technique

1. Préchauffer le four à 375 °F (190 °C).

   Piquer les pommes de terre à l'aide d'une fourchette et les déposer sur une plaque de cuisson recouverte de sel.

   Cuire au four environ 1 heure.

   À la sortie du four, couper les pommes de terre en 2 et prélever la chair.

   Passer la chair encore chaude au presse-purée.

2. Étaler la purée de pommes de terre directement sur un plan de travail enfariné sur une surface d'environ 20 cm × 40 cm (8 po × 16 po).

Dans un cul-de-poule, mélanger les jaunes d'œufs, l'huile d'olive, le zeste des citrons, la ciboulette, le sel et le poivre.

Verser le mélange sur les pommes de terre. Égrainer le fromage de chèvre et le répartir sur la préparation.

3. À l'aide d'un coupe-pâte ou d'une raclette, diviser la préparation en 3 sections.

Rabattre les côtés de chaque section vers le centre pour former 1 gros pâton.

Pétrir le pâton en y ajoutant le reste de farine pour homogénéiser la pâte.

4. Couper le pâton en 8, puis rouler les morceaux avec les mains pour façonner des boudins de la grosseur d'un index.

Couper les boudins en rondins d'environ 2 cm.

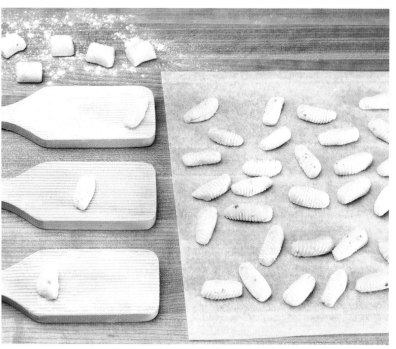

5. Avec une légère pression du pouce, faire rouler les petits rondins sur une planche à gnocchis ou sur le dos d'une fourchette pour leur donner leur forme.

Déposer les gnocchis sur un papier parchemin et réserver pour la cuisson.

6. Dans une casserole, porter à ébullition une grande quantité d'eau salée. Glisser les gnocchis dans l'eau frémissante, une petite quantité à la fois. Lorsque les gnocchis remontent à la surface, cuire 1 minute de plus et les retirer à l'aide d'une écumoire ou d'une araignée.

Déposer les gnocchis sur une plaque à pâtisserie et les arroser d'huile d'olive pour éviter qu'ils s'assèchent. Réserver au froid.

Au moment de servir, poêler les gnocchis dans un peu de beurre clarifié pour les colorer.

Servir au goût avec une sauce ou un concassé de tomates fraîches.

Astuces et tours de main

Pour une texture parfaite, gage de réussite des gnocchis, trois points sont à retenir:

1. Passer les pommes de terre au presse-purée dès leur sortie du four pour permettre au fromage de mieux s'incorporer à la préparation.

2. Ne pas pétrir la pâte trop longtemps pour éviter qu'elle devienne élastique.

3. Ne pas ajouter trop de farine au moment du pétrissage, juste assez pour empêcher la pâte de coller à la surface de travail.

* *Cette recette de gnocchis, la meilleure que j'aie dégustée jusqu'à présent, a été mise au point par Hakim Chajar, mon chef de cuisine au laurie raphaël à Montréal, et par Lucas son assistant.*

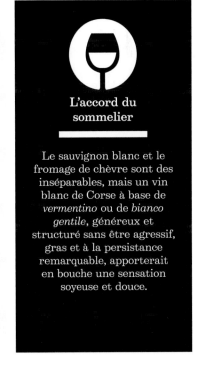

L'accord du sommelier

Le sauvignon blanc et le fromage de chèvre sont des inséparables, mais un vin blanc de Corse à base de *vermentino* ou de *bianco gentile*, généreux et structuré sans être agressif, gras et à la persistance remarquable, apporterait en bouche une sensation soyeuse et douce.

PÂTE À CRÊPES SUCRÉE

Temps de préparation : 15 minutes / Temps de cuisson : 45 minutes / Portions : 20 crêpes

Ingrédients

350 g (2⅓ tasses) de farine
   tout usage
750 ml (3 tasses) de lait
6 œufs
15 ml (1 c. à soupe) de sucre
Vanille, au goût
1 pincée de sel
15 ml (1 c. à soupe) de beurre clarifié
30 ml (2 c. à soupe) de rhum brun
30 ml (2 c. à soupe) de beurre, fondu

Technique

1. Dans un grand cul-de-poule, tamiser la farine et faire un puits au centre.

Dans un autre cul-de-poule, casser les œufs et réserver.

2. À l'aide d'un fouet, incorporer le lait à la farine au centre du puits.

Mélanger délicatement pour éviter la formation de grumeaux et de développer le gluten de la farine en brassant trop l'appareil.

3. Fouetter énergiquement les œufs, puis les incorporer au mélange de farine et de lait.

Ajouter le sucre, la vanille, le sel, le beurre clarifié et le rhum, sans trop brasser.

4. Laisser reposer la pâte au moins1 heure, idéalement une nuit.

Passer l'appareil au tamis au moment de l'utiliser.

5. Chauffer la poêle à crêpes et la badigeonner de beurre fondu à l'aide d'un papier absorbant ou d'un pinceau.

Verser une louche de pâte à crêpes au centre de la poêle et incliner cette dernière afin de bien étendre le mélange.

Au besoin, incliner la poêle au dessus d'un cul-de-poule pour éliminer l'excédent de pâte à crêpes.

6. Cuire la crêpe de 1 à 2 minutes de chaque côté en les retournant à l'aide d'une spatule.

Conserver les crêpes non utilisées au réfrigérateur ou au congélateur pour une utilisation ultérieure.

Astuces et tours de main

Une crêpe est parfaitement réussie lorsque ses contours sont légèrement troués, comme de la dentelle.

Pour faire de belles crêpes fines, utiliser de préférence une poêle spécialement conçue à cet effet.

Si la pâte à crêpes est trop épaisse, ne pas hésiter à ajouter un peu de lait.

Si l'on fait les crêpes à l'avance, il suffit de les cuire, de les empiler les unes sur les autres par groupes de 10 et de les recouvrir de pellicule plastique. Elles se conservent quelques jours au réfrigérateur et plusieurs semaines au congélateur.

Pour une version salée de cette recette, retirer de la liste des ingrédients le sucre, la vanille et le rhum.

PÂTE À PIZZA

Temps de préparation : 30 minutes / Temps de pousse : 45 à 60 minutes / Rendement : 1,5 kg (3½ lb)

Ingrédients

15 ml (1 c. à soupe) de sucre

625 ml (2½ tasses) d'eau, tiède

30 ml (2 c. à soupe) de levure sèche

600 g (4 tasses) de farine 00
   (Granoro)*

300 g (2 tasses) de semoule de blé
   (Granoro)

15 ml (1 c. à soupe) de sel

15 ml (1 c. à soupe) d'huile d'olive

Technique

1. Dans un bol, mélanger le sucre et l'eau tiède à 45 °C (90°F).

Verser la levure en pluie, en remuant délicatement pour la dissoudre.

Laisser reposer 10 minutes dans un endroit tempéré.

2. Dans un grand cul-de-poule, mélanger la farine et la semoule de blé, puis le sel.

Faire un puits au centre et y verser le mélange d'eau et de levure.

3. Rabattre la farine doucement vers le centre avec une cuillère en bois au début, puis poursuivre avec les mains.

4. Pétrir la pâte en la pliant et en l'aplatissant à plusieurs reprises, environ 10 minutes. La pâte doit être lisse et élastique.

Au besoin, ajouter de la farine si la pâte est trop collante ou un peu d'eau si elle n'absorbe pas toute la farine.

5. À l'aide d'un pinceau, badigeonner le pâton avec un peu d'huile d'olive.

Recouvrir la pâte avec un torchon ou de la pellicule plastique.

Placer le cul-de-poule au micro-ondes avec un verre d'eau bouillante à côté.

Laisser la pâte doubler de volume. Compter de 45 à 60 minutes selon la température ambiante.

6. Donner un coup de poing dans la pâte, puis la pétrir 1 fois ou 2.

Laisser reposer jusqu'à utilisation.

Recouvrir les pâtons non utilisés de pellicule plastique et les conserver au congélateur.

Astuces et tours de main

Il faut laisser la pâte lever suffisamment dans un endroit humide avant de l'abaisser. L'intérieur d'un four à micro-ondes est tout désigné, car l'exiguïté de l'espace permet de conserver l'humidité plus facilement.

Cette pâte est parfaite pour réaliser vos pissaladières et vos pizzas préférées. Pour la pissaladière, utiliser la moitié de la recette, soit un pâton de 750 g (1½ lb). Pour vos pizzas, diviser la pâte en pâtons de 150 g à 300 g (de ⅓ lb à ⅔ lb).

Si les pâtons sont congelés, les sortir la veille de leur utilisation et les décongeler lentement au réfrigérateur.

* Bien que l'on puisse réaliser cette recette de pâte à pizza avec de la farine tout usage, l'utilisation de farine 00 et de semoule de blé, que l'on retrouve facilement dans les épiceries fines, donne un résultat supérieur.

PÂTES FRAÎCHES MAISON

Temps de préparation : 45 minutes / Temps de cuisson : aucun / Portions 4 à 6

Ingrédients

250 g (1⅔ tasse) de semoule de blé
   dur (Granoro) ou de farine tout
   usage
6 jaunes d'œufs
1 œuf
15 ml (1 c. à soupe) d'huile d'olive
15 ml (1 c. à soupe) de lait 2 %

Technique

1. Dans un grand cul-de-poule, verser la semoule ou la farine et faire un puits au centre.

2. Dans un bol, mélanger les jaunes d'œufs avec l'œuf, l'huile et le lait.

Verser le liquide au centre du puits et ramener la farine vers le centre en mélangeant avec les doigts.

3. Former une boule de pâte, puis la pétrir environ 10 minutes pour la rendre élastique.

Pétrir la boule comme une pâte à pain, en l'aplatissant et en la repliant plusieurs fois avec la paume de la main sur une surface de travail farinée.

Placer la boule de pâte dans un bol.

Verser un peu d'huile d'olive sur le dessus et lisser.

Couvrir la pâte avec une pellicule plastique. Laisser reposer au moins 2 heures.

4. Régler les rouleaux du laminoir à grande ouverture.

Diviser la pâte en 4 pâtons.

À l'aide d'un rouleau à pâtisserie, aplatir chaque pâton en une bande suffisamment mince pour entrer dans le laminoir.

Insérer les bandes dans le laminoir à plusieurs reprises en réduisant à chaque fois l'écartement des rouleaux.

Répéter jusqu'à ce que la pâte soit mince et lisse.

5. Travailler ensuite avec le couteau à pâte du laminoir pour confectionner des spaghettis.

Enrouler les spaghettis autour des doigts pour former de petits nids ou les suspendre sur une corde pour les sécher légèrement.

Réserver pour la cuisson.

6. Dans une casserole, porter à ébullition une grande quantité d'eau salée (calculer 10 ml (2 c. à thé) de sel par litre (4 tasses) d'eau).

Cuire les pâtes dans l'eau bouillante 1 ou 2 minutes.

Égoutter les pâtes, puis les faire sauter aussitôt dans un poêlon avec un peu d'huile d'olive. Assaisonner.

Astuces et tours de main

Pour colorer les pâtes et leur donner une saveur particulière, ajouter aux jaunes d'œufs un triple concentré de tomate ou encore une purée fine d'épinards. Remplacer un jaune d'œuf par un poids équivalent de concentré de tomate ou de purée de légumes ou d'herbes fraîches.

Si l'on veut ajouter une épice comme le safran ou le cari, il faut d'abord les infuser dans un peu d'eau avant de les ajouter à l'œuf et au jaune d'œuf.

Il est très important de bien saler l'eau, car la pâte absorbera le sel pendant la cuisson.

PÂTE SUCRÉE À LA POUDRE D'AMANDES

Temps de préparation : 25 minutes / Temps de repos : 30 minutes / Temps de cuisson : 12 minutes / Portions : 8

Ingrédients

225 g (½ lb) de beurre, tempéré
180 g (1¼ tasse) de sucre glace
450 g (3 tasses) de farine
2 œufs
50 g (⅔ tasse) de poudre d'amandes

Technique

1. Dans un cul-de-poule, bien crémer le beurre et le sucre à l'aide d'un fouet.

Tamiser la farine et l'incorporer doucement au mélange.

Dans un bol, mélanger les œufs et la poudre d'amandes.

2. Incorporer le mélange d'œufs et de poudre d'amandes à la première préparation et mélanger à l'aide d'une cuillière en bois.

3. Sabler, puis pétrir délicatement la pâte quelques minutes pour former une boule.

4. Aplatir légèrement la boule de pâte. Recouvrir la pâte de pellicule plastique.

Laisser reposer la pâte au réfrigérateur quelques heures.

5. Diviser la boule de pâte en 8 pâtons.

Abaisser chacun des pâtons à 6 mm (¼ po) au rouleau à pâtisserie, sur une surface enfarinée.

6. Foncer 8 moules à tartelettes de 10 cm × 2,5 cm (4 po x 1 po) avec les abaisses, en repliant légèrement la pâte sur les pourtours.

Couper l'excédent de pâte.

Mettre les moules au congélateur 20 minutes pour raffermir la pâte.

Préchauffer le four à 200 °C (400 °F).

Déposer les moules sur une plaque de cuisson et cuire au four 12 minutes.

Laisser tempérer sur une grille.

Astuces et tours de main

La pâte sucrée est délicieuse, mais difficile à réussir. Elle doit être réfrigérée, car elle se travaille mieux à froid. Il faut la travailler rapidement, en évitant de trop la manipuler avec les doigts.

Pour mieux étendre la pâte, la frapper d'abord avec le rouleau à pâtisserie pour l'aplatir un peu.

Mettre les fonds de tartelettes au congélateur 20 minutes empêche la pâte de retomber au début de la cuisson et évite d'avoir à recouvrir la pâte de petits pois ou d'une feuille de papier d'aluminium durant la précuisson.

Les plats
principaux

——

95

BŒUF BOURGUIGNON

Temps de préparation : 30 minutes / Temps de cuisson : 2 h 30 / Portions : 6

Ingrédients

1,5 kg (3½ lb) de palette de bœuf, désossée
45 ml (3 c. à soupe) de beurre clarifié
1 gros oignon, haché
2 carottes, en dés
2 branches de céleri, en dés
4 ou 5 gousses d'ail, en chemise
45 ml (3 c. à soupe) de farine
1 branche de thym, frais
2 feuilles de laurier, frais

750 ml (3 tasses) de vin rouge de Bourgogne
750 ml (3 tasses) de fond de veau
Sel et poivre fraîchement moulu

Garniture
24 petits oignons cipollini ou perlés
4 tranches de bacon ou de lard fumé
225 g (½ lb) de champignons de Paris

Technique

1. Couper la palette de bœuf en cubes de 2,5 cm (1 po).

   Saler et poivrer.

   Préchauffer le four à 160 °C (325 °F).

2. Dans une grande sauteuse, chauffer la moitié du beurre clarifié, puis bien saisir les cubes de tous les côtés.

Pour assurer une belle coloration, saisir quelques morceaux de viande à la fois.

Retirer les morceaux de viande et les réserver sur une assiette.

3. Dans la même sauteuse, faire rissoler l'oignon, les carottes, le céleri et l'ail quelques minutes.

Au besoin, ajouter un peu de beurre clarifié.

Remettre les morceaux de bœuf dans la cocotte avec les légumes et singer avec la farine.

Ajouter le thym et le laurier.

4. Mouiller avec le vin et le fond de veau, et porter à ébullition.

Couvrir et faire mijoter au four environ 2 heures ou jusqu'à tendreté de la viande, en évitant de trop la cuire.

5. Préparer la garniture. Couper les extrémités des oignons, puis les plonger dans une casserole d'eau bouillante 30 secondes.

Retirer les oignons de la casserole et les refroidir dans un récipient d'eau glacée. Les égoutter et les peler à l'aide d'un petit couteau d'office.

Tailler les tranches de lard fumé ou de bacon en lardons, puis les faire rissoler dans une poêle.

Retirer les lardons de la poêle, conserver le gras de cuisson et y faire sauter les oignons et les champignons quelques minutes. Réserver.

6. Lorsque la viande est à point, retirer la sauteuse du four, puis ajouter la garniture de lardons, d'oignons et de champignons. Rectifier l'assaisonnement.

Laisser mijoter 4 ou 5 minutes sur le feu pour que la sauce prenne le goût de la garniture.

Servir avec une purée de pommes de terre très crémeuse et des haricots verts sautés au beurre avec un peu d'ail haché.

Astuces et tours de main

La qualité de la viande est le point le plus important dans la réussite du bœuf bourguignon. Il faut utiliser des viandes plus grasses pour éviter qu'elles se dessèchent durant la cuisson. Il ne faut pas hésiter à demander conseil à son boucher.

L'erreur la plus fréquente est sans aucun doute de trop cuire la viande. Lors de la cuisson au four, vérifier les cubes de bœuf de temps en temps. La viande doit être fondante en bouche, mais conserver une certaine résistance.

Le vin utilisé est également très important. On ne fait pas du bon avec du mauvais. Un bon rouge de Bourgogne est de mise. Sans tomber dans l'exagération, un vin de Bourgogne abordable donnera de la saveur en réduisant.

L'accord du sommelier

Un vin de Bourgogne va de soi. Que l'on pense à un Gevrey-Chambertin, très concentré, où le pinot noir tire des accents sublimes de cassis, de violette pour évoluer vers des notes de cuir, d'humus et de réglisse, ou à un Pommard, solide et tannique, davantage sur des notes de poivre, de cerise confite et de prune, ces vins charnus apporteront richesse, puissance et caractère au plat de leur région.

BŒUF WELLINGTON

Temps de préparation : 60 minutes / Temps de cuisson : 30 à 40 minutes / Portions : 4

Ingrédients

Filet mignon

900 g (2 lb) de cœur de filet mignon
30 ml (2 c. à soupe) de beurre clarifié
30 ml (2 c. à soupe) de beurre frais
Sel et poivre

Duxelles de champignons

75 ml (5 c. à soupe) de beurre frais
3 échalotes françaises moyennes,
   hachées
225 g (½ lb) de champignons
   de Paris, hachés

150 ml (⅔ tasse) de vin blanc
60 ml (4 c. à soupe) persil haché
Sel et poivre

Bœuf Wellington

120 g (¼ lb) de pâté de foie gras
100 g (3 oz) de duxelles de
   champignons
454 (1 lb) de pâte feuilletée
1 œuf
10 ml (2 c. à thé) de lait

Sauce au madère

30 ml (2 c. à soupe) de beurre clarifié
1 échalote française, hachée finement
175 ml (¾ tasse) de porto ou de vin
   de Madère
250 ml (1 tasse) de fond de veau
   ou de sauce demi-glace
Sel et poivre

Technique

1. Peler le filet mignon, puis le couper dans la partie du centre (cœur) pour avoir une pièce d'environ 700 g à 900 g (de 1½ lb à 2 lb).

Assaisonner la viande de sel et de poivre sur toutes ses faces.

2. Dans une grande poêle, chauffer le beurre clarifié et colorer le filet sur tous les côtés.

Ajouter le beurre frais dans la poêle et arroser fréquemment la viande avec le beurre moussant.

Retirer le filet de la poêle et le déposer sur du papier absorbant.

Réserver au réfrigérateur jusqu'à refroidissement complet de la viande.

3. Préparer la duxelles de champignons. Dans une sauteuse, chauffer le beurre, puis ajouter les échalotes. Cuire de 3 à 4 minutes à feu doux, en remuant.

Ajouter les champignons et les faire revenir.

4. Déglacer avec le vin blanc et assaisonner.

Ajouter le persil et réduire à sec.

Retirer du feu et laisser refroidir.

5. Sortir le filet du réfrigérateur.

Couper le pâté de foie gras en tranches. Déposer les tranches sur la viande.

Répartir la duxelles sur le pâté de foie à l'aide d'une spatule, puis presser avec les mains pour faire adhérer le tout à la viande.

Réserver le filet au réfrigérateur pour le garder froid.

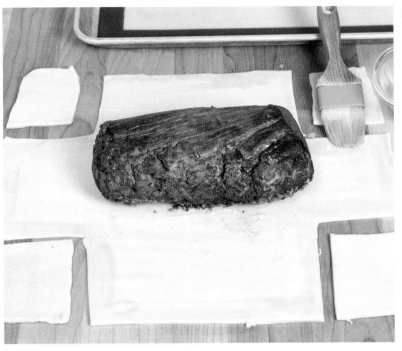

6. Préchauffer le four à 220 °C (425 °F).

Enfariner un plan de travail.

Abaisser la pâte et placer le filet refroidi au centre, tranches de foie gras et duxelles en dessous.

Former une croix avec la pâte, en supprimant les 4 coins pour éliminer le maximum de pâte sous le Wellington.

Dans un bol, battre l'œuf avec le lait, puis, à l'aide d'un pinceau, badigeonner les pourtours de la pâte avec le mélange.

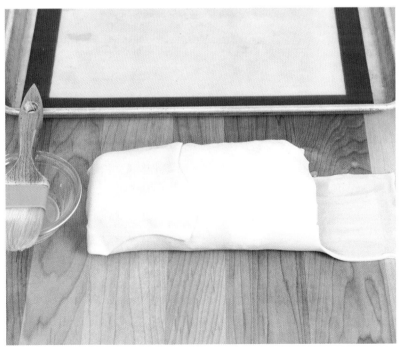

7. Ramener les bandes de pâte du milieu sur le filet et fermer les 2 extrémités.

Retourner le Wellington et le placer sur une tôle à pâtisserie. Le badigeonner avec le reste de mélange d'œuf et de lait.

Cuire au four environ 30 minutes ou plus, selon la cuisson désirée. La température à cœur de la viande doit atteindre de 55 °C à 58 °C (de 131 °F à 136 °F) pour une cuisson entre saignant et à point.

8. Préparer la sauce. À mi-cuisson du Wellington, dans une petite casserole, faire fondre la moitié du beurre.

Ajouter l'échalote et faire revenir quelques minutes.

Ajouter le madère ou le porto et laisser mijoter quelques minutes.

9. Ajouter le fond de veau ou la sauce demi-glace et faire réduire de moitié. Assaisonner.

Passer au tamis.

Rectifier l'assaisonnement et réserver.

10. Sortir le bœuf Wellington du four, le laisser reposer quelques minutes, puis le trancher.

Servir avec des légumes au choix et la sauce au madère.

Astuces et tours de main

Un des secrets pour réussir le bœuf Wellington est de bien dessécher la duxelles de champignons dans la poêle pour ne pas détremper la pâte avant et pendant la cuisson.

Il ne faut pas oublier également de laisser le Wellington reposer quelques minutes avant de le trancher pour empêcher le sang de la viande de se répandre sur la pâte et dans l'assiette.

Il faut mettre le Wellington au four à haute température entre 200 °C et 220 °C (400 °F et 425 °F) pour éviter que la pâte prenne trop de temps à cuire et que le filet, au centre, soit trop cuit.

L'accord du sommelier

Puissance et finesse caractérisent parfaitement les vins de Pauillac, Saint-Julien et autres appellations de la rive gauche de la Gironde, près de Bordeaux. C'est un mariage parfait de petits fruits rouges, de griotte et de cassis, mêlés à des notes de torréfaction, d'épices et de vanille qui confirment leur complexité aromatique. Devant ce grand classique, les vins très persistants, avec une bouche ample et charnue, tendent vers un accord parfait.

FILET DE BŒUF EN CHEVREUIL, SAUCE GRAND VENEUR

Temps de préparation : 30 minutes / Temps de macération : 12 à 36 heures / Temps de cuisson : 45 minutes / Portions : 4

Ingrédients

Marinade

30 ml (2 c. à soupe) d'huile de pépins
    de raisin
225 g (½ lb) de mirepoix moyenne
    (oignons, carottes, céleri)
375 ml (1½ tasse) de vin rouge
60 ml (¼ tasse) de vieux vinaigre
    de vin rouge
60 ml (¼ tasse) de cognac
5 ml (1 c. à thé) de grains de poivre, entiers
Quelques baies de genièvre
3 branches de thym

3 feuilles de laurier, frais
3 gousses d'ail, coupées en 2

1 pièce de 675 g (1½ lb) de filet
    de bœuf (centre du filet)

Sauce grand veneur

Légumes de la marinade
15 ml (1 c. à soupe) de beurre clarifié
500 ml (2 tasses) de jus
    de la marinade

250 ml (1 tasse) de fond de gibier
    ou de fond de veau
15 ml (1 c. à soupe) de gelée
    de groseille
15 ml (1 c. à soupe) de purée
    de marrons nature (non sucrée)

Cuisson du filet

30 ml (2 c. à soupe) de beurre clarifié
Sel et poivre, au goût

Technique

1. Dans un plat, mettre l'huile, la mirepoix, le vin, le vinaigre de vin et le cognac.

Ajouter les aromates et réserver.

2. Ficeler la pièce de bœuf.

Dérouler de la ficelle, la passer sous le filet puis faire un double nœud bien serré sur le dessus à une extrémité.

S'assurer de laisser pendre la ficelle de 30 cm (12 po) du côté droit. Passer le bout de cette ficelle sous toute la longueur du filet.

3. Faire une large boucle en déroulant de la ficelle et y passer le rôti. Une fois la boucle passée autour du rôti, tirer sur la ficelle.

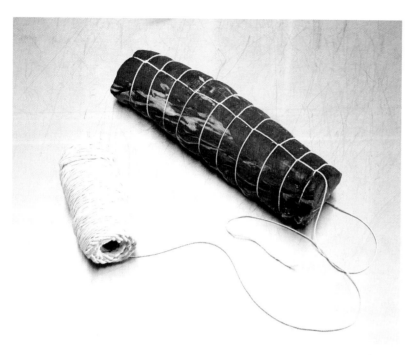

4. Répéter l'opération sur toute la longueur du filet.

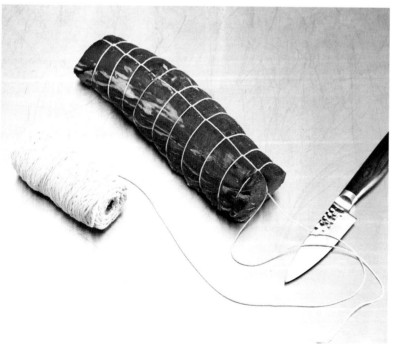

5. Terminer en nouant la ficelle avec le bout passé au départ sous le filet.

6. Ajouter la pièce de viande à la marinade, recouvrir d'une pellicule plastique et réfrigérer au minimum 12 heures. On peut laisser macérer la viande jusqu'à 36 heures.

Retourner la pièce de temps en temps.

7. Préchauffer le four à 180 °C (350 °F).

Retirer le filet de la marinade et bien l'éponger.

Passer la marinade au chinois.

Réserver les légumes et le jus de la marinade pour la sauce.

8. Dans une sauteuse, faire rissoler quelques minutes les légumes de la marinade dans 15 ml (1 c. à soupe) de beurre clarifié. Déglacer avec le jus de la marinade et faire réduire de moitié.

Saler et poivrer la viande. Dans une poêle, la faire saisir sur toutes ses faces dans 30 ml (2 c. à soupe) de beurre clarifié.

Terminer la cuisson au four, environ 10 minutes. Au besoin, vérifier la cuisson à l'aide d'un thermomètre à viande*. Une fois la cuisson terminée, retirer le filet du four et le laisser reposer au moins 15 minutes, recouvert d'un papier d'aluminium.

9. Préparer la sauce. Dans la sauteuse contenant les légumes et le jus réduit de la marinade, ajouter le fond de veau et réduire à nouveau de moitié.

Passer au chinois, puis ajouter la gelée de groseille et la purée de marrons.

Laisser mijoter 1 ou 2 minutes, rectifier l'assaisonnement et réserver.

10. Trancher la viande en médaillons assez épais.

Servir les médaillons nappés de sauce grand veneur.

Une purée de chou rouge et des pommes de terre rissolées accompagnent merveilleusement ce plat.

Astuces et tours de main

Le nom de cette recette, filet de bœuf en chevreuil, s'explique par le goût de venaison que prend la viande de bœuf au contact de la marinade. Et plus on prolonge le temps de macération, plus cette saveur de gibier s'accentue.

Le thym et le laurier frais accentuent également le goût de cette recette.

Choisir le centre du filet mignon, appelé aussi le cœur, pour faire cette recette. Le centre du filet étant de la même proportion d'un bout à l'autre, la cuisson sera ainsi plus uniforme.

L'important demeure la période de repos de la viande avant de la servir, qui doit être égale au temps de cuisson.

* Pour une cuisson parfaite, la température interne de la viande doit atteindre 55 °C à 60 °C (130 °F à 140 °F) à cœur.

L'accord du sommelier

C'est le plat parfait pour un vin rouge qui a de la chair, du fruit et une bonne matière en bouche, des tannins souples et bien mûrs, comme un Carmenère du Chili, un malbec d'Argentine ou un Tannat d'Uruguay. Un Amarone de la Vénétie et un Châteauneuf-du-Pape apporteront beaucoup de rondeur.

OMELETTE AU JAMBON, FROMAGE ET CHANTERELLES

Temps de préparation : 20 minutes / Temps de cuisson : 15 minutes / Portions : 2 omelettes

Ingrédients

6 œufs

90 ml (6 c. à soupe) de crème 35 %

100 g (3½ oz) de fromage Gaulois
de Portneuf

100 g (3½ oz) de jambon

100 g (3½ oz) de chanterelles
ou d'une autre variété, selon
ce qui est offert sur le marché

75 ml (5 c. à soupe) de beurre, salé

Sel et poivre

Quelques tiges de ciboulette, ciselées

Quelques feuilles de basilic, ciselées

Technique

1. Casser les œufs dans 2
culs-de-poule (3 par bol),
puis les battre à la fourchette
avec 45 ml (3 c. à soupe)
de crème dans chacun.

Assaisonner et réserver.

2. Préparer la garniture. Couper le fromage en morceaux et tailler le jambon en lanières.

Dans une poêle, faire revenir les lanières de jambon dans 15 ml (1 c. à soupe) de beurre.

Retirer de la poêle et réserver.

3. Dans la même poêle, faire sauter les chanterelles dans 30 ml (2 c. à soupe) de beurre et bien assaisonner.

Ajouter les herbes et réserver.

4. Pour la cuisson des omelettes, chauffer une poêle lyonnaise ou en acier inoxydable avec 15 ml (1 c. à soupe) de beurre, puis verser le contenu du premier cul-de-poule dans la poêle.

Laisser les œufs prendre légèrement, puis commencer à brasser la préparation en ramenant vers le milieu les parties qui coagulent sur les parois de la poêle.

Répéter l'opération à quelques reprises.

5. Déposer la garniture au centre de l'omelette en remuant délicatement avec une fourchette, puis déposer le fromage dessus.

6. À l'aide d'une spatule souple, replier délicatement l'omelette vers le rebord de la poêle, puis la retourner sur une assiette.

Répéter les étapes 4, 5 et 6 pour cuire la seconde omelette.

Astuces et tours de main

On ne doit jamais faire une omelette avec plus de 6 œufs, l'idéal étant de 3 œufs.

Battre les œufs à la fourchette est primordial pour ne pas faire entrer trop d'air dans la préparation. Par contre, pour les omelettes soufflées, on utilise généralement le fouet.

Le choix du beurre est aussi très important, car il donnera du goût à l'omelette. Utiliser du beurre salé a l'avantage d'assaisonner du même coup la préparation. Il faut veiller à ce que le beurre ne brûle pas.

La poêle lyonnaise, en raison de sa forme et de son épaisseur, est de loin le meilleur ustensile de cuisson pour les œufs.

Pour faire pivoter l'omelette dans l'assiette, prendre la poignée de la poêle à l'envers avec la main, soulever la poêle du feu et tourner rapidement l'omelette dans l'assiette.

Une fois l'omelette dans l'assiette, la recouvrir d'un linge humide et la presser délicatement pour lui donner une belle forme.

L'accord du sommelier

Pour accorder vins et œufs, il faut se tourner vers l'Italie. D'un côté, il y a le nord avec le cépage arneis, d'appellations Roero ou Langhe, qui allie acidité et charpente tout en étant élégant avec des arômes exotiques de pêche et d'amandes fraîches. De l'autre, il y a le sud et la Campanie, d'appellation Fiano di Avellino, qui tend à donner des vins ronds, puissants, aux arômes de fleurs, de miel et d'épices.

RIS DE VEAU À LA CRÈME ET AUX MORILLES

Temps de préparation : 15 minutes / Temps de trempage : 30 minutes / Temps de cuisson : 10 minutes / Portions : 4

Ingrédients

4 noix de ris de veau d'environ 120 g
(4 oz) chacune
Un peu de farine
30 ml (2 c. à soupe) de beurre clarifié
30 ml (2 c. à soupe) de beurre frais
90 g (3 oz) morilles fraiches ou 30 g
(1 oz) de morilles, déshydratées*
30 ml (2 c. à soupe) d'échalotes
françaises ciselées
½ gousse d'ail, hachée
125 ml (½ tasse) de vin blanc
125 ml (½ tasse) de fond de veau

125 ml (½ tasse) de crème 35 %
1 branche de thym
Quelques brins de romarin, hachés

* Si l'on utilise des morilles
déshydratées, les réhydrater
30 minutes dans l'eau tiède.

Technique

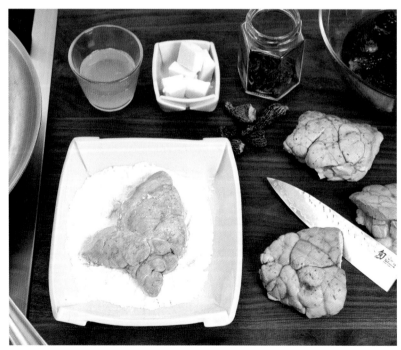

1. Précuire les ris de veau*,
puis les couper en 2.

Les assaisonner et les
enfariner légèrement.

Dans une poêle, chauffer
le beurre clarifié et y déposer
les ris de veau.

2. Cuire les ris environ 5 minutes de chaque côté en les arrosant régulièrement avec le beurre de cuisson.

3. Retirer les ris de veau de la poêle et jeter le gras de cuisson.

Ajouter le beurre frais et y faire sauter les morilles. Assaisonner.

Ajouter les échalotes françaises et l'ail et faire revenir 1 minute.

Déglacer avec le vin blanc et réduire de moitié.

4. Retirer les morilles, ajouter le fond de veau et assaisonner.

Ajouter la crème et réduire jusqu'à consistance désirée.

5. Remettre les ris de veau et les morilles dans la poêle.

Ajouter les herbes et laisser mijoter 1 minute pour que les ris s'imprègnent de la sauce et du parfum des morilles.

118

6. Déposer les ris de veau dans les assiettes.

Accompagner de légumes de saison. Servir aussitôt.

Astuces et tours de main

Il est important d'acheter des noix de ris de veau sans leur chaînette. Elles sont plus dispendieuses, mais elles contiennent moins de nerfs. Il suffit alors de retirer, avant la cuisson, avec la lame d'un couteau, la fine membrane qui les recouvre.

Une fois cuits et mis sous presse quelques heures au réfrigérateur, les ris de veau sont prêts à être utilisés. Ils se conservent de 4 à 5 jours au réfrigérateur.

* Pour en savoir plus sur la façon de précuire et de presser les ris de veau, voir la technique dans *L'atelier de Daniel Vézina, Plus de 100 techniques et recettes de base*, p. 54.

L'accord du sommelier

C'est le plat tout désigné pour un vin blanc délicat et onctueux, où l'acidité est dominée par d'autres sensations gustatives, ce qui laisse une impression suave d'équilibre marquée par le gras et la rondeur. Autrement, c'est un mets parfait pour un Condrieu, où le viognier règne en maître. Un Château-Grillet, pour la rareté ?

SAUCE BOLOGNAISE

Temps de préparation : 45 minutes / Temps de cuisson : 2 heures / Rendement : 12 à 15 portions

Ingrédients

Sauce

1 gros oignon espagnol
5 gousses d'ail
2 carottes moyennes
2 branches de céleri
3 feuilles de laurier, frais
1 branche de thym, frais
1 branche de romarin, frais
1 vert de poireau
60 ml (¼ tasse) d'huile d'olive

2 kg (4⅓ lb) de viande hachée
   (⅓ bœuf, ⅓ veau, ⅓ porc)
750 ml (3 tasses) de vin rouge
   italien corsé
2 litres (8 tasses) de tomates
   italiennes, en pot ou en conserve
1 litre (4 tasses) de jus de tomate
1 tube de triple concentré de tomate
2 piments oiseaux, hachés finement

Pâtes

450 g (1 lb) de spaghettis ou autres
   pâtes, au choix
Quelques filets d'huile d'olive
100 g (3 oz) de parmesan reggiano
Sel et poivre

Technique

1. Préchauffer le four à 190 °C
   (375 °F).

   À l'aide d'un couteau, hacher
   finement l'oignon et l'ail.

   Au robot culinaire ou au
   hachoir à viande, avec la
   plus grosse grille, hacher les
   carottes et le céleri finement,
   sans les réduire en purée.

   Faire un bouquet garni avec
   les herbes et les ficeler dans
   du vert de poireau. S'assurer
   de laisser un long bout de
   ficelle dépasser du bouquet.

2. Dans un faitout allant au four, chauffer l'huile d'olive et faire revenir l'oignon et l'ail.

Ajouter les carottes et le céleri, puis faire revenir à feu vif quelques minutes en remuant.

Ajouter la viande et la faire revenir jusqu'à ce qu'elle perde sa couleur rosée.

3. Déglacer avec le vin rouge et faire réduire de moitié.

Égoutter les tomates, les concasser, puis les ajouter au faitout avec le concentré et le jus de tomate.

4. Ajouter le bouquet garni au milieu de la sauce et le fixer avec la ficelle à la poignée du faitout.

Ajouter les piments oiseaux.

Cuire la sauce bolognaise au four en la laissant mijoter à faible ébullition 1 heure à découvert, puis 1 heure à couvert, en remuant de temps en temps.

Rectifier l'assaisonnement à quelques reprises pendant la cuisson.

5. À la sortie du four, laisser la sauce reposer et le gras remonter à la surface. À ce moment, dégraisser la sauce en enfonçant une louche à la surface et en laissant le gras glisser doucement à l'intérieur.

Retirer le bouquet garni.

6. Dans une grande casserole d'eau bouillante salée, cuire les spaghettis *al dente*, puis les égoutter.

Dans une grande poêle, faire sauter les spaghettis dans l'huile d'olive.

Assaisonner les pâtes et ajouter la sauce.

Mélanger le tout à l'aide d'une fourchette à rôti et servir.

Accompagner de parmesan fraîchement râpé.

Astuces et tours de main

Au Québec, on a tendance à verser la sauce sur les pâtes bouillies. Je préfère les préparer à la façon des Italiens, en sautant d'abord les spaghettis avec un peu d'huile d'olive, puis en ajoutant la sauce dans la poêle. Il est important de mélanger les pâtes et la sauce avec une grande fourchette et non des pinces qui ont tendance à couper les spaghettis.

Passer les légumes au hachoir à viande diminue considérablement le temps de préparation.

Pour plus de saveur, j'utilise trois sortes de viande et je mouille toujours ma sauce généreusement avec un vin corsé.

La sauce bolognaise doit mijoter doucement et être remuée constamment lorsqu'on la cuit sur le feu, pour éviter qu'elle colle au fond et brûle. La cuire au four demande beaucoup moins d'attention.

Si la sauce collait malgré tout au fond du faitout, ajouter du beurre à l'ail pour diminuer le goût de brûlé.

L'accord du sommelier

Grâce à son acidité et ses arômes de fruit qui rappellent la tomate, sa rugosité qui évoque les fines herbes et sa forte charpente tannique, le sangiovese se révèle le compagnon parfait pour les sauces à base de tomate. Choisir un jeune chianti ou un brunello pour déguster un vin de garde...

STEAK AU POIVRE

Temps de préparation : 15 minutes / Temps de cuisson : 15 minutes / Portions : 2

Ingrédients

30 ml (2 c. à soupe) de poivre
    mignonnette

2 entrecôtes (contre-filets) de
    225 g (½ lb), avec leur gras

30 ml (2 c. à soupe) de beurre, clarifié

60 ml (¼ tasse) de cognac

Sel

Sauce

45 ml (3 c. à soupe) de beurre,
    demi-sel

2 échalotes françaises, ciselées

125 ml (½ tasse) de vin blanc

250 ml (1 tasse) de fond de veau

45 ml (3 c. à soupe) de crème 35 %

Technique

1. Concasser les grains de poivre avec le dos d'une casserole ou dans un mortier.

   Saupoudrer les entrecôtes de poivre et presser fortement avec les doigts pour qu'il adhère bien aux deux faces de la viande.

2. Dans une grande poêle, chauffer le beurre clarifié.

Assaisonner les entrecôtes de sel sur les deux faces et saisir la viande de 2 à 3 minutes de chaque côté.

Arroser fréquemment avec le beurre de cuisson.

3. Jeter le gras de cuisson et flamber avec le cognac.

Retirer les entrecôtes de la poêle aussitôt et les réserver au chaud.

4. Préparer la sauce. Remettre un peu de beurre dans la poêle et faire revenir les échalotes.

Ajouter le vin blanc, puis laisser réduire 2 minutes.

Mouiller avec le fond de veau et réduire à nouveau 4 ou 5 minutes.

5. Ajouter la crème, rectifier l'assaisonnement et faire réduire jusqu'à consistance désirée.

6. Remettre les entrecôtes dans la poêle et les retourner pour bien les enrober de sauce et pour les réchauffer.

Déposer les entrecôtes dans les assiettes, puis les napper de sauce. Servir aussitôt.

Astuces et tours de main

Pour plus de saveur, utiliser une viande vieillie au moins 30 jours.

Les entrecôtes doivent être suffisamment épaisses pour pouvoir bien les saisir et pour obtenir une belle cuisson. Il faut saisir la viande suffisamment, jusqu'à ce qu'elle soit presque croustillante.

Le secret pour réussir une sauce consiste, chaque fois qu'on ajoute un liquide, à le faire réduire suffisamment avant d'ajouter le suivant. Simple *a priori*, mais il faut bien assimiler cette règle si l'on veut devenir un bon saucier. Vos sauces ne seront que plus savoureuses, et leur texture, plus onctueuse.

Beaucoup de gens se demandent à quel moment assaisonner les steaks avec le sel. Il faut le faire juste quelques minutes avant de les saisir ou de les griller. Si l'on assaisonne la viande trop tôt, le sel risque de la faire durcir pendant la cuisson.

L'accord du sommelier

Hommage à la syrah du Rhône septentrional (Cornas / Saint-Joseph / Côte-Rôtie) qui évoque des notes de poivre, de violette et de viande avec une touche fumée ayant à la fois du corps et une belle structure tannique. Des shiraz de Californie et d'Australie sont également des invités de marque.

TARTARE DE BŒUF

Temps de préparation : 20 minutes / Temps de cuisson : aucun / Portions : 4

Ingrédients

454 g (1 lb) de bavette de bœuf

Marinade

2 échalotes françaises, hachées

30 ml (2 c. à soupe) de cornichons au vinaigre hachés

30 ml (2 c. à soupe) de câpres hachées

15 ml (1 c. à soupe) de persil haché

15 ml (1 c. à soupe) de ciboulette ciselée

3 jaunes d'œufs

30 ml (2 c. à soupe) de moutarde de Dijon

15 ml (1 c. à soupe) de vinaigre de vin

125 ml (½ tasse) d'huile de pépins de raisin

Quelques gouttes de sauce Tabasco

Quelques gouttes de sauce Worcestershire

15 ml (1 c. à soupe) de cognac

Sel et poivre

Technique

1. À l'aide d'un couteau, parer la pièce de bœuf et la tailler en tranches minces.

2. Couper les tranches en fines lanières, puis les hacher en petits dés.

Réserver la viande de bœuf hachée dans un cul-de-poule déposé sur de la glace pilée.

3. Hacher finement les échalotes, les cornichons et les câpres. Ciseler les fines herbes. Réserver.

4. Pour la marinade, procéder comme pour une mayonnaise.

Mélanger les jaunes d'œufs avec la moutarde et le vinaigre de vin, puis incorporer l'huile en filet, en remuant délicatement avec un fouet.

5. Ajouter les ingrédients hachés à la mayonnaise, puis incorporer la sauce Tabasco, la sauce Worcestershire et le cognac.

Assaisonner de sel et de poivre, et réserver.

6. Au moment de servir, mélanger délicatement une partie de la marinade avec la viande à l'aide d'une cuillère en bois.

Assaisonner de sel et de poivre.

À l'aide d'un emporte-pièce, dresser le tartare dans une assiette.

Servir le tartare avec des frites croustillantes et une bonne mayonnaise.

Astuces et tours de main

Pour réaliser le tartare, la poire, l'onglet et l'araignée sont d'autres parties tendres et goûteuses qui peuvent être utilisées et qui sont beaucoup moins chères que le filet mignon ou l'entrecôte. Mon boucher affirme cependant que la bavette demeure la meilleure partie pour le tartare. La viande ne doit surtout pas être grasse ou trop persillée.

Couper la viande au couteau fait toute la différence. Il est important d'utiliser un couteau de chef de bonne qualité, à la lame bien affûtée.

La sauce pour lier le tartare doit être bien moutardée. La moutarde enlève le goût sanguin de la viande crue.

À l'étape 4, il faut incorporer l'huile en évitant de trop émulsionner (fouetter) la préparation, afin de conserver une belle couleur jaune.

Il est primordial de mélanger la mayonnaise à la viande hachée à la dernière minute, juste avant de servir le tartare.

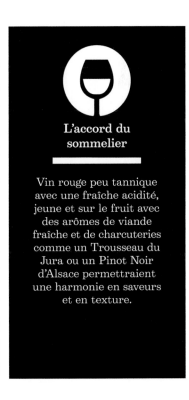

L'accord du sommelier

Vin rouge peu tannique avec une fraîche acidité, jeune et sur le fruit avec des arômes de viande fraîche et de charcuteries comme un Trousseau du Jura ou un Pinot Noir d'Alsace permettraient une harmonie en saveurs et en texture.

DINDE DE GRAIN FARCIE

Temps de préparation : 1 h 30 / Temps de cuisson : 6 h 30 / Portions : 10 à 12

Ingrédients

Farce

45 ml (3 c. à soupe) de beurre

1 gros oignon espagnol, haché grossièrement

3 gousses d'ail, hachées finement

454 g (1 lb) de champignons de Paris, nettoyés et coupés en dés

½ botte de ciboulette, ciselée

30 ml (2 c. à soupe) de persil haché

15 ml (1 c. à soupe) d'estragon haché

20 tranches de pain blanc, avec la croûte, coupées en cubes

125 ml (½ tasse) de crème 35 %

2 œufs

30 ml (2 c. à soupe) de vinaigre de cidre

Sel et poivre

Dinde

1 dinde de 8 kg (18 lb)

225 g (½ lb) de beurre demi-sel

Fleur de sel

Quelques pincées de piment d'Espelette

750 ml (3 tasses) de mirepoix moyenne (oignons, carottes, céleri)

Quelques branches de thym

3 feuilles de laurier

1 tête d'ail

750 ml (3 tasses) de bouillon de volaille (p. 68)

Sauce

Mirepoix et garniture aromatique, récupérées de la cuisson de la dinde

45 ml (3 c. à soupe) de gras de volaille

45 ml (3 c. à soupe) de farine

1 litre (4 tasses) de fond brun de volaille ou de veau

Technique

1. Dans une sauteuse, chauffer le beurre, puis faire revenir l'oignon et l'ail.

Ajouter les champignons et les faire revenir quelques minutes.

2. Mettre les ingrédients dans un grand cul-de-poule et laisser refroidir.

Ajouter les fines herbes, la mie de pain, la crème, les œufs et le vinaigre de cidre.

Assaisonner et bien mélanger.

3. Retirer les abattis à l'intérieur de la dinde, si nécessaire. Couper le cou et le gésier en plusieurs morceaux et les réserver pour la cuisson de la dinde. Conserver le cœur et le foie pour une utilisation future.

Assaisonner l'intérieur de la dinde de sel et de poivre, et remplir la cavité de farce bien tassée.

Décoller la peau des poitrines en insérant délicatement les doigts entre la chair et la peau. Y glisser des tranches de beurre assaisonnées de sel et de piment d'Espelette.

4. Ficeler la dinde*.

Pour un meilleur résultat et pour s'assurer de garder la farce à l'intérieur de la dinde pendant la cuisson, brider la cage thoracique à l'aide d'une aiguille.

5. Préchauffer le four à 180 °C (350 °F).

Mettre les morceaux de cou et de gésier au fond d'une rôtissoire.

Déposer la dinde sur les abattis.

Répartir la mirepoix tout autour de la dinde. Ajouter le thym, le laurier et une tête d'ail séparée en gousses.

Mettre au four à convection 1 heure.

134

6. Après 1 heure de cuisson, ajouter le bouillon de volaille, ramener la température du four à 150 °C (300 °F) et cuire 2 heures. Après ce temps, abaisser la température du four à 110 °C (225 °F) et poursuivre la cuisson 3 heures.

Compter de 15 à 20 minutes de cuisson par 454 g (1 lb). Pour une dinde de 8 kg, prévoir environ 6 heures.

Arroser fréquemment la volaille à l'aide d'une poire ou d'une louche pendant toute la durée de la cuisson.

7. À l'aide de deux grosses spatules, retirer la dinde de la rôtissoire et la déposer sur un plateau de service.

Recouvrir la dinde d'un papier d'aluminium beurré.

Passer le contenu de la rôtissoire au chinois, au-dessus d'un grand bol en verre transparent.

8. Remettre la mirepoix dans la rôtissoire et la faire caraméliser.

Pendant ce temps, dégraisser le bouillon de dinde en laissant le gras remonter à la surface.

9. Une fois la mirepoix bien colorée, ajouter 45 ml (3 c. à soupe) de gras de volaille (A) à la rôtissoire et singer avec 45 ml (3 c. à soupe) de farine.

Ajouter le bouillon dégraissé (B) et le fond brun de volaille (C), et laisser réduire jusqu'à consistance d'une sauce.

10. Passer le contenu de la rôtissoire au chinois étamine et transvider la sauce dans une autre casserole.

Rectifier l'assaisonnement et laisser mijoter doucement sur le feu.

Découper la dinde en détachant d'abord les cuisses, puis faire de belles tranches dans la poitrine. Retirer la farce et servir.

Astuces et tours de main

La cuisson à convection est parfaite pour une volaille de ce poids. Pour un four traditionnel, ajouter 25 degrés à la température indiquée à chaque étape et prévoir 1 heure de cuisson supplémentaire, soit environ 7 heures pour une dinde de 8 kg.

Laisser reposer la dinde une bonne heure à la sortie du four, pendant la préparation de la sauce.

Le plaisir ultime pour le cuisinier est de faire les tranches les plus parfaites et les plus minces possible, sur toute la surface de la poitrine. Pour obtenir de belles tranches, utiliser un couteau muni d'une lame longue et fine ou tout simplement un trancheur à viande.

Pour éviter que les tranches de dinde se dessèchent, les servir immédiatement, nappées généreusement de sauce très chaude.

* Pour en savoir plus sur la façon de ficeler une volaille, voir la technique dans *L'atelier de Daniel Vézina, Plus de 100 techniques et recettes de base*, p. 86.

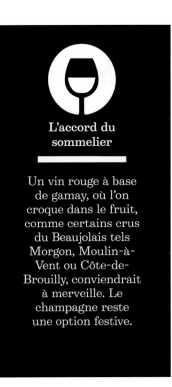

L'accord du sommelier

Un vin rouge à base de gamay, où l'on croque dans le fruit, comme certains crus du Beaujolais tels Morgon, Moulin-à-Vent ou Côte-de-Brouilly, conviendrait à merveille. Le champagne reste une option festive.

POULET CHASSEUR

Temps de préparation : 40 minutes / Temps de cuisson : 1 h 15 / Portions : 4 à 6

Ingrédients

1 poulet de 2 kg (4⅓ lb), coupé en 8

45 ml (3 c. à soupe) de farine

75 ml (⅓ tasse) de beurre

60 ml (¼ tasse) de lardons ou de bacon, coupés en morceaux

1 gros oignon, haché

3 gousses d'ail, hachées

250 ml (1 tasse) de vin blanc

1 boîte de 540 ml (19 oz) de tomates italiennes, égouttées, coupées en 2 et épépinées

15 ml (1 c. à soupe) de triple concentré de tomate

Quelques branches de thym

2 feuilles de laurier

250 ml (1 tasse) de fond brun de volaille

115 g (¼ lb) de champignons de Paris

30 ml (2 c. à soupe) de persil frais, haché

Sel et poivre

Technique

1. Préchauffer le four à 160 ˚C (325 ˚F).

Assaisonner généreusement les morceaux de poulet de sel et de poivre, puis les enfariner.

138

2. Dans une sauteuse, faire chauffer 30 ml (2 c. à soupe) de beurre et saisir à feu vif les morceaux de poulet sur les deux faces.

3. Retirer les morceaux de la sauteuse et les déposer sur une plaque de cuisson.

Ajouter les lardons et les faire colorer.

Ajouter l'oignon et l'ail, et faire revenir 2 minutes.

4. Déglacer avec le vin blanc et faire réduire un peu.

Ajouter les tomates et le concentré de tomate, et laisser mijoter 2 minutes en remuant.

Ajouter le thym et le laurier, puis le fond brun de volaille.

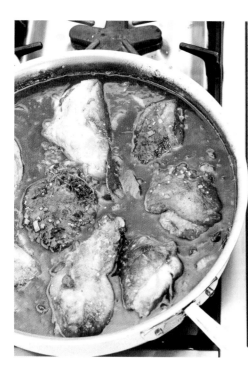

5. Remettre les morceaux de volaille dans la casserole et ajouter un peu d'eau au besoin pour bien les recouvrir.

Cuire au four à faible ébullition et à couvert 1 h 15 pour de gros morceaux de poulet, ou environ 1 heure pour des morceaux plus petits.

6. Dans un poêlon, faire sauter les champignons dans 45 ml (3 c. à soupe) de beurre et les ajouter à la préparation avec le persil haché 30 minutes avant la fin de la cuisson.

Astuces et tours de main

Couper le poulet en 8 est une technique de base en cuisine qui permet de séparer le poulet de façon équitable. On peut cependant réaliser cette recette avec des hauts de cuisse ou même des pilons.

Il faut toujours assaisonner les morceaux de poulet avant de les enfariner pour que le sel et le poivre y adhèrent mieux. Il est important également de bien secouer les morceaux pour faire tomber l'excédent de farine avant de les faire saisir dans la poêle.

La qualité des tomates fait une bonne différence dans le goût de la sauce. En saison, on peut réaliser cette recette en utilisant des tomates fraîches, mûries à point. Pour éviter que le bouillon soit trop liquide, singer la préparation avec 30 ml (2 c. à soupe) de farine après avoir fait revenir les oignons et l'ail (étape 3).

* Pour en savoir plus sur la façon de couper le poulet en 8, voir la technique dans *L'atelier de Daniel Vézina, Plus de 100 techniques et recettes de base*, p. 87.

L'accord du sommelier

Les lardons, champignons et oignons sont aussi des aromates à la bourguignonne, et les notes fumées de la Côte de Nuits, tels certains Gevrey-Chambertin et Chambolle-Musigny, conviendront. Et comme il est ici *alla cacciatore*, un Langhe Nebbiolo du Piémont sera également parfait.

POULET CORDON-BLEU

Temps de préparation : 35 minutes / Temps de cuisson : 20 minutes / Portions : 4

Ingrédients

4 suprêmes de poulet
4 tranches de jambon
4 bâtonnets de 60 g (2 oz)
de fromage suisse

Panure à l'anglaise
250 ml (1 tasse) de farine
5 ml (1 c. à thé) de sel
2,5 ml (½ c. à thé) de poivre
2,5 ml (½ c. à thé) de paprika
2 œufs

75 ml (⅓ tasse) de lait 2 %
250 ml (1 tasse) de panko
ou de chapelure
45 ml (3 c. à soupe) de beurre clarifié

Sauce
30 ml (2 c. à soupe) d'échalotes
françaises hachées
1 gousse d'ail, hachée
15 ml (1 c. à soupe) de beurre clarifié
125 g (½ lb) de champignons de Paris,
tranchés

15 ml (1 c. à soupe) de jus de citron
75 ml (⅓ tasse) de vin blanc
125 ml (½ tasse) de fond brun
de volaille
125 ml (½ tasse) de crème
15 ml (1 c. à soupe) de crème sure
15 ml (1 c. à soupe) de ciboulette
ciselée

Technique

1. Préchauffer le four à 190 °C (375 °F).

   Sectionner l'aile de chaque suprême et enlever la peau.

   Retirer le filet.

   Déposer les suprêmes entre 2 pellicules de plastique et les aplatir légèrement avec une abatte.

2. Avec la pointe d'un couteau, faire une incision dans l'épaisseur du suprême, sur toute sa longueur, pour former une cavité.

Insérer dans chaque cavité un morceau de fromage enroulé dans une tranche de jambon.

Fermer les cavités, replier les bords des suprêmes et bien sceller les bouts. Réserver.

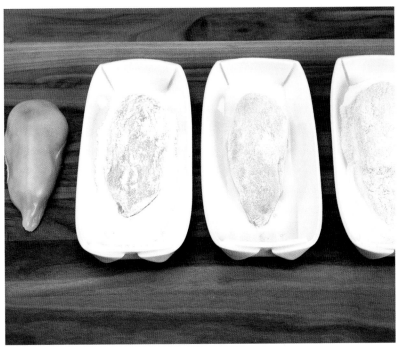

3. Verser la farine dans un plat. Assaisonner, au goût, avec le sel, le poivre et le paprika.

Dans un autre plat, battre les œufs avec le lait et réserver.

Dans un dernier plat, verser la panko, légèrement passée au robot culinaire, ou la chapelure.

Enrober les morceaux de poulet de farine et les secouer pour en retirer l'excédent.

Tremper ensuite les suprêmes dans l'appareil d'œufs battus, bien les égoutter, puis les rouler dans la panko ou la chapelure.

4. Dans une poêle, faire chauffer le beurre clarifié et dorer les suprêmes de poulet sur toutes les faces.

Terminer la cuisson au four de 12 à 15 minutes.

5. Dans une casserole, faire revenir l'échalote et l'ail dans le beurre clarifié.

Ajouter les champignons et cuire quelques minutes.

Déglacer avec le jus de citron, puis mouiller avec le vin blanc. Faire réduire de moitié.

Ajouter le fond de volaille, puis la crème, et cuire quelques minutes.

6. Au moment de servir, trancher les suprêmes ou les laisser entiers.

Ajouter la crème sure et la ciboulette à la sauce et en napper la volaille.

Accompagner d'une bonne purée de pommes de terre.

Astuces et tours de main

Il est important de servir les escalopes cordon-bleu dès la sortie du four afin que le poulet reste juteux et le fromage, coulant au milieu.

On peut préparer les suprêmes de poulet cordon-bleu en grande quantité et les congeler individuellement.

À la sortie du congélateur, mettre les suprêmes sur un essuie-tout pour absorber l'humidité et éviter que la chapelure soit détrempée. On peut aussi repasser les suprêmes dans la chapelure avant de les cuire.

Pour affiner légèrement la texture de la panko, il suffit de la passer quelques secondes au robot culinaire.

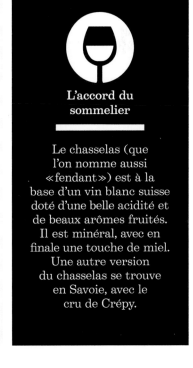

L'accord du sommelier

Le chasselas (que l'on nomme aussi «fendant») est à la base d'un vin blanc suisse doté d'une belle acidité et de beaux arômes fruités. Il est minéral, avec en finale une touche de miel. Une autre version du chasselas se trouve en Savoie, avec le cru de Crépy.

FISH AND CHIPS MAISON

Temps de préparation : 20 minutes / Temps de cuisson : 8 minutes / Portions : 4

Ingrédients

500 g (1 lb) de filet de morue, frais

Pâte à frire
15 ml (1 c. à soupe) de levure sèche
60 ml (¼ tasse) d'eau, tiède
325 ml (1⅓ tasse) de farine
1 bouteille de 340 ml de bière blonde, température pièce
1 bonne pincée de sel

Sauce tartare
3 jaunes d'œufs
15 ml (1 c. à soupe) de moutarde de Dijon
15 ml (1 c. à soupe) de vinaigre de vin
125 ml (½ tasse) d'huile d'olive
125 ml (½ tasse) d'huile végétale
15 ml (1 c. à soupe) de persil haché
15 ml (1 c. à soupe) de cornichons hachés

15 ml (1 c. à soupe) de câpres hachées
15 ml (1 c. à soupe) d'échalotes grises hachées
15 ml (1 c. à soupe) de jus de citron
Sel et poivre

Quelques quartiers d'agrumes

Technique

1. Couper le filet de morue en morceaux d'environ 60 g (2 oz) et les éponger sur du papier absorbant.

Délayer la levure dans l'eau tiède.

Mettre la farine dans un bol et faire un puits au centre.

2. Verser la bière et la levure au milieu du puits et mélanger énergiquement à l'aide d'un fouet.

3. Ajouter le sel, recouvrir le bol d'une pellicule plastique et laisser reposer 1 heure à température ambiante dans un endroit humide.

4. Préparer la sauce tartare. Dans un cul-de-poule déposé sur un linge humide, mélanger les jaunes d'œufs avec la moutarde et le vinaigre de vin.

Verser l'huile d'olive et l'huile végétale doucement, en filet, en mélangeant énergiquement à l'aide d'un fouet.

Ajouter le persil, les cornichons, les câpres et les échalotes.

Assaisonner et réserver.

5. Tremper les morceaux de poisson dans la pâte, puis les frire de 3 à 4 minutes de chaque côté dans l'huile.

Égoutter sur du papier absorbant et saupoudrer de sel.

Au moment de servir, ajouter le jus de citron à la sauce tartare.

6. Déposer deux morceaux de poisson dans chaque assiette, avec quelques quartiers d'agrumes.

Servir avec de la sauce tartare et de bonnes frites maison.

Astuces et tours de main

Les *fish and chips* sont à la fois faciles et complexes à réaliser.

Le poisson doit être très frais et bien épongé pour que la pâte y adhère bien.

Le poisson doit avoir le temps de cuire sans que la pâte colore trop rapidement. Pour cette raison, il est important de couper les morceaux de poisson en respectant le poids indiqué dans la recette et de s'assurer que la température de l'huile pour la friture est d'environ 180 °C (350 °F).

Une fois les morceaux de poisson frits, bien les égoutter sur du papier absorbant, puis les saler. Ils doivent être servis rapidement pour éviter que la vapeur dégagée par la chaleur du poisson détrempe la pâte.

Une sauce tartare réalisée avec une bonne mayonnaise maison est toujours meilleure. Elle accompagne à merveille les *fish and chips*.

L'accord du sommelier

Le duo sémillon et sauvignon que l'on retrouve à Bordeaux dans les Graves et à Pessac-Léognan, possède une acidité et une fraîcheur qui tranchent avec l'impression de gras de ce plat, en apportant subtilité, finesse et élégance. Le sémillon ajoute une texture crémeuse, un goût de pêche et de nectarine à un sauvignon dont le côté végétal est noble.

MAC AND CHEESE AU HOMARD

Temps de préparation : 30 minutes / Temps de cuisson : 25 minutes / Portions : 4

Ingrédients

454 g (1 lb) de macaronis longs
   (bucatinis)
Huile d'olive

Sauce

45 m (3 c. à soupe) d'échalotes
   françaises hachées
30 ml (2 c. à soupe) de beurre clarifié
125 ml (½ tasse) de vin blanc
250 ml (1 tasse) de crème 35 %

250 ml (1 tasse) de lait 3,25 %
30 ml (2 c. à soupe) de farine
60 g (2 oz) de gruyère
60 g (2 oz) de fontina
60 g (2 oz) de parmesan
60 g (2 oz) de Pied-De-Vent
   sans croûte
Chair de 3 homards, cuits
45 ml (3 c. à soupe) de bisque réduite
   ou de sauce tomate

Quelques feuilles de basilic, ciselées
30 à 45 ml (2 à 3 c. à soupe)
   de ciboulette ciselée
Piment d'Espelette, au goût
Sel, au goût

Technique

1. Cuire les macaronis dans une grande casserole d'eau bouillante salée, jusqu'à ce qu'ils soient *al dente*.

   Égoutter les pâtes, les laisser tiédir, puis les arroser d'huile d'olive. Bien mélanger et réserver.

   Dans une sauteuse, faire revenir l'échalote avec 15 ml (1 c. à soupe) de beurre clarifié, puis mouiller avec le vin blanc.

   Réduire des deux tiers.

2. Verser la crème et réduire à nouveau du tiers.

Ajouter le lait.

Dans un bol, préparer un beurre manié en mélangeant 15 ml (1 c. à soupe) de beurre clarifié avec la farine.

Râper le gruyère, le fontina et le parmesan.

Couper en cubes le Pied-De-Vent.

3. Ajouter la bisque réduite ou la sauce tomate.

Lier la sauce en incorporant le beurre manié à la préparation, une petite quantité à la fois et en fouettant énergiquement à l'aide d'un fouet.

Si la sauce est trop épaisse, ajouter au besoin, en cours de cuisson, un peu de lait ou d'eau pour l'alléger.

4. Ajouter les fromages à la poêle et les faire fondre dans la sauce.

Couper la chair de homard en petits dés.

Réserver les pinces pour la présentation.

5. Ajouter le homard à la sauce.

Hacher finement le basilic et la ciboulette, puis les ajouter à la préparation.

Rectifier l'assaisonnement avec le piment d'Espelette et le sel.

6. Ajouter les pâtes et les mélanger délicatement à la sauce pendant quelques minutes pour les réchauffer, puis dresser dans un plat de service.

Garnir avec les pinces de homard et le basilic.

Astuces et tours de main

Le *mac and cheese* est un classique qui est revenu à la mode il y a quelques années.

L'important est de préparer une sauce onctueuse et crémeuse à souhait pour bien enrober les pâtes. Au besoin, ajuster sa texture avec un peu de crème.

La garniture est secondaire. On peut ajouter, au goût, des légumes, comme des champignons, des asperges ou des têtes de violon. On peut également utiliser d'autres fruits de mer, comme les pétoncles et les moules.

Les fromages aussi peuvent varier selon ce que l'on a, sous la main, au réfrigérateur. Des fromages crémeux sont un gage de réussite.

L'accord du sommelier

Et si on optait pour un vin orange? Des vins faits à partir de peaux de raisins blancs, vinifiés comme des vins rouges avec une très longue macération et qui apportent beaucoup de tannin. Les cépages malvoisie, trebbiano et ribolla gialla du nord de l'Italie sont élégants, mais vifs, sont de corps moyen, très secs, ayant une forte acidité, ce qui équilibre leur impression grasse. Ils rappellent la pomme mûre, la fleur d'oranger, la rose et le cuir.

SAUMON POCHÉ, SAUCE HOLLANDAISE

Temps de préparation : 10 minutes / Temps de cuisson : 30 minutes / Portions : 4

Ingrédients

4 filets de saumon de 6 cm
   (1½ po) d'épaisseur, frais
   (125 g à 150 g par personne)
Fleur de sel

Court-bouillon
1 carotte
1 oignon
1 branche de céleri
1 citron
15 ml (1 c. à soupe) de beurre clarifié
2 litres (8 tasses) d'eau
1 branche de thym, frais
3 feuilles de laurier
6 grains de poivre

Sauce hollandaise
3 jaunes d'œufs
45 ml (3 c. à soupe) de vin blanc
15 ml (1 c. à soupe) d'eau
125 ml (½ tasse) de beurre clarifié
Sel et piment d'Espelette
15 ml (1 c. à soupe) de jus de citron

Technique

1. Éplucher, canneler et couper la carotte en rondelles.

   Éplucher et couper l'oignon en rondelles minces.

   Émincer le céleri. Canneler et couper le citron en rondelles.

154

2. Dans une casserole, faire revenir tous les légumes dans le beurre clarifié.

Mouiller avec l'eau, puis ajouter le thym, le laurier et les grains de poivre.

Porter à ébullition quelques minutes et ajouter les rondelles de citron.

3. À l'aide d'un couteau, retirer la peau et la partie brunâtre sous les filets.

Aligner les morceaux de saumon les uns contre les autres, dans 1 ou 2 plats en pyrex.

Verser le liquide en ébullition directement sur les filets de poisson et laisser cuire 20 minutes dans le court-bouillon.

4. Préparer la sauce hollandaise. Dans un cul-de-poule, à l'aide d'un fouet, faire mousser les jaunes d'œufs avec le vin blanc et l'eau.

5. Placer le cul-de-poule sur un bain-marie et cuire en fouettant comme un sabayon (voir p. 204).

Éteindre le feu et incorporer le beurre par petites quantités à la fois.

Assaisonner de sel et de piment d'Espelette, puis ajouter le jus de citron.

6. Au moment de servir, faire chauffer le reste du court-bouillon et y réchauffer les morceaux de saumon de 30 secondes à 1 minute au maximum pour éviter de trop les cuire.

Servir aussitôt avec la sauce hollandaise.

Astuces et tours de main

Cette recette est facile à réussir. Il faut éviter toutefois d'utiliser des plats en verre trop grands et verser 2 cm au maximum de court-bouillon au-dessus des morceaux de saumon. De cette façon, le saumon restera moelleux. La cuisson sera parfaite avec un minimum de surveillance.

Lorsqu'on prépare la sauce hollandaise, il faut la cuire doucement au bain-marie, en fouettant énergiquement plutôt qu'en la faisant simplement mousser. La cuisson est à point lorsque la sauce adhère au cul-de-poule. C'est en quelque sorte un sabayon dans lequel on incorpore du beurre fondu.

L'accord du sommelier

Un vin blanc appuiera le moelleux du saumon, avec un équilibre de la suavité et de la fraîcheur, comme un chenin blanc de la Loire (Savennières), aux notes minérales, avec des nuances de fruits mûrs pour une sensation harmonieuse en bouche. Un chardonnay du Nouveau Monde pourrait faire l'unanimité.

SOLE DE DOUVRES AMANDINE

Temps de préparation : 45 minutes / Temps de cuisson : 15 minutes / Portions : 2

Ingrédients

1 sole de Douvres d'environ 1 kg (2¼ lb)

30 ml (2 c. à soupe) de farine

45 ml (3 c. à soupe) de beurre clarifié

15 ml (1 c. à soupe) de beurre frais

75 ml (⅓ tasse) d'amandes effilées

Le jus de 1 citron

15 ml (1 c. à soupe) de persil frais haché

Quelques feuilles de persil

Quelques rondelles de citron

Sel et poivre

Technique

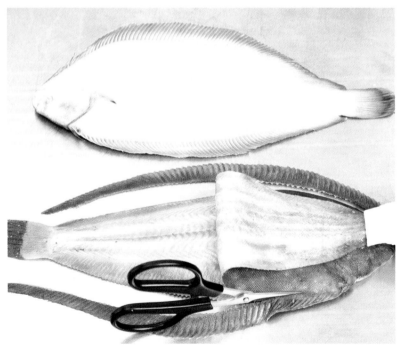

1. Préchauffer le four à 200 °C (400 °F).

   Couper les nageoires dorsales de chaque côté de la sole à l'aide de ciseaux, puis, avec la pointe d'un couteau, faire une entaille à environ 1,5 cm de l'extrémité de la queue.

   Gratter légèrement la peau avec la lame du couteau pour la décoller, puis l'agripper avec un torchon humide et l'arracher complètement.

   Retourner la sole et répéter l'opération de l'autre côté.

2. Saler, poivrer et fariner le poisson, puis le secouer légèrement pour faire tomber l'excédent.

Dans une grande poêle, à feu moyen, chauffer le beurre clarifié et saisir la sole de 2 à 3 minutes de chaque côté.

Terminer la cuisson au four environ 6 minutes.

3. Déposer la sole sur un plat de service.

À l'aide de cuillères, retirer la tête, la queue et les pourtours du poisson.

4. Glisser le dos de la cuillère délicatement sous les filets du dessus pour les détacher de l'arête centrale, puis les déposer de chaque côté du poisson.

Retirer l'arête centrale à l'aide de 2 cuillères.

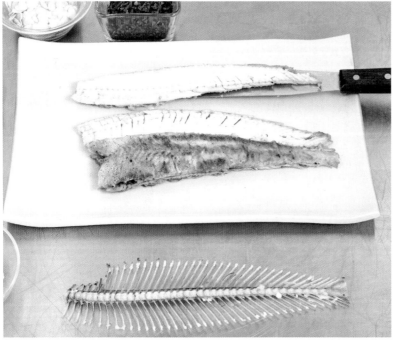

5. Replacer les 2 filets du dessus sur ceux du dessous pour reformer la sole.

Recouvrir les filets d'un papier d'aluminium beurré pour les conserver au chaud.

6. Préparer la sauce. Chauffer la poêle, ajouter le beurre et le faire mousser.

Ajouter les amandes et cuire 1 minute pour les colorer.

Déglacer avec le jus de citron et ajouter le persil au dernier moment.

Verser le beurre encore moussant sur le poisson.

Garnir de persil frais et de rondelles de citron.

Astuces et tours de main

La sole de Douvres arrive presque toujours congelée. Par contre, elle se dégèle assez rapidement dans un récipient au réfrigérateur et recouverte d'un linge humide.

Tirer la peau du poisson à l'aide d'un linge de cuisine humide évite qu'elle glisse entre les doigts au moment de l'opération.

Poêler la sole avec du beurre clarifié évite que celui-ci brûle pendant la cuisson.

La cuisson au four, quant à elle, permet de cuire le poisson uniformément.

La sole est cuite à point lorsque la chair se détache, mais avec une légère résistance.

L'accord du sommelier

Il y a un caractère montagnard inimitable dans les vins d'Arbois, en raison de leurs évocations de noix sèche et de pomme verte. Les chardonnays du Jura s'expriment par une bouche opulente, équilibrée, de bonne longueur, avec des arômes de noisette, de beurre et d'agrumes. Un autre vin du Jura à base de savagnin s'avérerait une piste originale.

TARTARE DE SAUMON

Temps de préparation : 20 minutes / Temps de cuisson : aucun / Portions : 4 entrées

Ingrédients

Tartare

454 g (1 lb) de chair de saumon

30 ml (2 c. à soupe) d'échalotes
françaises ciselées

45 ml (3 c. à soupe) d'herbes fraîches
(aneth, ciboulette, estragon) ciselées

45 ml (3 c. à soupe) d'huile
de homard (p. 166)

10 ml (2 c. à thé) de jus de yuzu
ou de jus de citron

10 ml (2 c. à thé) de sauce soya
(bio de préférence)

Sel et poivre

Sauce aigrelette

75 ml (⅓ tasse) de crème 35 %

15 ml (1 c. à soupe) de jus de citron

15 ml (1 c. à soupe) d'aneth haché

Sel et poivre

Technique

1. Choisir un filet de saumon
à la fraîcheur irréprochable.

Pour le tartare, utiliser de
préférence la queue, la partie
la moins grasse.

Conserver le centre dont
l'épaisseur est plus uniforme
pour un gravlax, et la partie
près de la tête pour des pavés.

2. À l'aide d'un couteau, retirer la peau et la partie brunâtre sous le filet.

Au besoin, enlever les arêtes.

3. Avec le couteau, trancher de belles escalopes dans la queue du saumon.

Tailler ensuite les escalopes en fines lanières, puis les hacher en petits dés.

4. Réserver les cubes de saumon dans un cul-de-poule déposé sur de la glace pilée.

Ciseler les échalotes et les fines herbes, et les ajouter au saumon.

5. Incorporer l'huile de homard, le jus de yuzu ou de citron et la sauce soya.

Assaisonner de sel et de poivre, et mélanger délicatement tous les ingrédients avec une cuillère.

6. Préparer la sauce aigrelette. Dans un petit bol, verser la crème, le jus de citron et l'aneth, et fouetter délicatement.

Assaisonner de sel et de poivre, et mélanger.

Servir le tartare de saumon avec des croûtons et la sauce aigrelette à l'aneth.

Astuces et tours de main

Pour couper le poisson de façon impeccable, il est important d'utiliser un couteau bien affûté.

La chair de saumon doit rester au frais durant la préparation du tartare et jusqu'au moment de le servir.

Le tartare préparé de cette façon plutôt qu'avec une mayonnaise permet au saumon de conserver sa texture et sa couleur.

Le jus de yuzu apporte une saveur différente et intéressante au tartare. Si on utilise du jus de citron, il faut faire attention de ne pas trop en mettre pour ne pas altérer le goût du saumon et sa texture.

En ajoutant du citron à la crème 35 %, celle-ci épaissit rapidement. Il n'est pas nécessaire de trop la fouetter.

L'accord du sommelier

Un chablis très frais et minéral, évoquant le citron, le silex et la pomme verte, très sec et tout en finesse, est une valeur sûre, tandis qu'un albarino (Rias Baixas) plus exotique, ample et de bonne acidité ou un verdejo (Rueda) légèrement plus charpenté sont des choix originaux.

HUILE DE HOMARD

Temps de préparation : 45 minutes / Temps de cuisson : 2 h 15 / Rendement : 2 litres (8 tasses)

Ingrédients

1 kg (2¼ lb) de carcasses de homards, non cuits

1,6 litre (6½ tasses) d'huile végétale

2 branches de céleri, coupées en petits dés

2 carottes, coupées en petits dés

1 oignon espagnol, coupé en petits dés

1 tête d'ail

1 branche de thym

3 feuilles de laurier, frais

10 grains de poivre

45 ml (3 c. à soupe) de triple concentré de tomate

2 litres (8 tasses) d'eau

Technique

1. Dans un rondeau, faire saisir les carapaces des homards dans 125 ml (½ tasse) d'huile, à feu moyen.

   Bien colorer les carapaces, puis ajouter les légumes.

   Colorer les légumes sous les carapaces.

2. Mouiller les carapaces à hauteur avec l'eau et porter à ébullition.

Ajouter l'ail, les herbes, le poivre et le concentré de tomate.

3. À l'aide d'une écumoire ou d'une cuillère, enlever de temps en temps l'écume qui se forme à la surface pendant la cuisson.

Cuire 2 heures ou jusqu'à ce que le liquide soit presque entièrement réduit à sec.

4. Une fois le liquide réduit presque à sec, mouiller avec 1,5 litre (6 tasses) d'huile végétale et faire bouillir de 5 à 10 minutes.

5. Laisser macérer les carapaces dans l'huile, hors du feu, 1 heure, puis passer l'huile au chinois, dans un filtre à café.

Laisser reposer au réfrigérateur une nuit.

168

6. Le lendemain, décanter l'huile pour la débarrasser des impuretés déposées au fond.

Transvider l'huile dans des bouteilles et les garder au réfrigérateur.

Astuces et tours de main

On peut aussi réaliser de l'huile de crustacé avec des carcasses de crabes ou de crevettes.

De préférence, les carcasses devraient être crues, mais cette huile se prépare très bien avec des restes de carcasses de homards bouillis ou grillés. Pour ma part, je garde les coffres pour la bisque.

Je vous conseille de congeler vos restes de carcasses de homards ou de crustacés pour en amasser un bon kilo avant de confectionner cette huile qui se conserve au moins un mois au réfrigérateur.

Il est fondamental de garder cette huile en tout temps au réfrigérateur.

COUSCOUS AUX MINI-LÉGUMES

Temps de préparation : 45 minutes / Temps de cuisson : 30 minutes / Portions : 6

Ingrédients

Légumes
12 mini-carottes

12 mini-courgettes, jaunes et vertes

12 mini-pâtissons, verts et jaunes

12 mini-oignons cipollini

6 à 8 mini-poireaux ou oignons verts (facultatif)

Bouillon
1 litre (4 tasses) de bouillon de légumes

1 litre (4 tasses) d'eau

1 bonne pincée de safran

5 ml (1 c. à thé) de gingembre, moulu

5 ml (1 c. à thé) de coriandre, moulue

5 ml (1 c. à thé) de curcuma, moulu

45 ml (3 c. à soupe) de triple concentré de tomate

2 grosses tomates, mondées et épépinées

Couscous
500 ml (2 tasses) de couscous

125 ml (½ tasse) d'huile d'olive

500 ml (2 tasses) d'eau, bouillante

125 ml (½ tasse) de raisins Sultana

Quelques feuilles de coriandre

Sel et poivre du moulin

Harissa, au goût

Technique

1. Brosser les carottes à l'aide d'un petit tampon à récurer.

   Laver les courgettes et les pâtissons.

   Couper les extrémités des oignons, puis les plonger dans une casserole d'eau bouillante 1 minute.

   Retirer les oignons de la casserole et les refroidir dans un récipient d'eau glacée.

   Égoutter les oignons et les peler à l'aide d'un petit couteau d'office.

2. Dans une grande casserole, porter à ébullition le bouillon de légumes et l'eau.

Mélanger les épices et les ajouter au bouillon.

Ajouter le harissa, le concentré de tomate et les tomates.

3. Ajouter les oignons et les carottes au bouillon, et cuire de 10 à 15 minutes.

Ajouter les pâtissons et les courgettes et poursuivre la cuisson de 5 à 8 minutes.

4. Égoutter les légumes et verser le bouillon dans le couscoussier.

Verser le couscous dans un grand bol, l'arroser d'huile d'olive et le saupoudrer de sel.

Frotter les grains de couscous entre les mains 5 minutes et ajouter 250 ml (1 tasse) d'eau bouillante.

Laisser gonfler le couscous quelques minutes.

Mettre le couscous dans la partie supérieure du couscoussier. Cuire 10 minutes en remuant à quelques reprises.

5. Verser à nouveau 250 ml (1 tasse) d'eau bouillante sur le couscous, puis ajouter les raisins.

Remuer délicatement à l'aide d'une fourchette pour séparer les grains et s'assurer qu'ils ne collent pas.

Ajouter un peu de sel si nécessaire.

Déposer tous les légumes dans le bouillon dans la partie inférieure du couscoussier et les réchauffer quelques minutes.

6. Dresser le couscous au fond d'un tajine.

Disposer les légumes ici et là sur le couscous avec quelques feuilles de coriandre.

Verser une partie du bouillon de cuisson autour des légumes et servir.

Astuces et tours de main

Au Maroc, le couscous se prépare avec des légumes tels que la carotte, le navet et la courgette, coupés uniformément. Utiliser des mini-légumes rend la préparation intéressante, mais il faut faire attention, dans ce cas, de ne pas trop cuire les légumes.

Le couscoussier est l'ustensile idéal pour cuire le couscous. La vapeur qui se dégage du bouillon cuit la semoule et la parfume.

Frotter les grains de couscous avec les mains après les avoir arrosés d'huile d'olive les empêche de coller ensemble pendant la cuisson.

Pour préparer un couscous à l'agneau, cuire d'abord un jarret d'agneau ou un morceau d'épaule dans le bouillon, environ 2 heures, à faible ébullition. Cuire ensuite les légumes selon la technique ci-dessus. Entre-temps, poêler des merguez, puis les ajouter à la préparation au moment de servir.

L'accord du sommelier

Le cépage furmint vinifié en sec, dans l'appellation hongroise Tokaji, déploie une complexité d'arômes, allant des zestes de citron vert à l'orange sanguine, du sucre d'orge à la fumée. Il est doté d'une bonne acidité et offre, en bouche, une texture ample qui lui confère finesse et structure. Les saveurs minérales et la charpente d'un Rias Baixas au cépage albarino iront dans la même direction.

FONDUE VALAISANNE

Temps de préparation : 20 minutes / Temps de cuisson : 30 minutes / Portions : 2

Ingrédients

Concassé de tomates fraîches

6 tomates moyennes, mûres, mondées

2 échalotes françaises

2 gousses d'ail

30 ml (2 c. à soupe) d'huile d'olive

1 branche de thym

2 feuilles de laurier, frais

30 à 45 ml (2 à 3 c. à soupe)
   de triple concentré de tomate

Sel et poivre

Fondue valaisanne

200 g (7 oz) de gruyère sans croûte

200 g (7 oz) de vacherin fribourgeois

15 ml (1 c. à soupe) de fécule de maïs

150 ml (⅔ tasse) de vin blanc

1 gousse d'ail, hachée

250 ml (1 tasse) de fondue
   de tomates fraîches

2 baguettes ou 1 miche de pain

Technique

1. Couper les tomates en 2.

Récupérer les pépins et le jus, puis filtrer.

Couper la chair en petits cubes.

174

2. Hacher les échalotes et l'ail finement, puis les faire revenir dans l'huile avec le thym et le laurier.

Ajouter les tomates, le concentré de tomate, le jus des tomates et assaisonner.

Cuire de 10 à 15 minutes à feu doux.

3. Râper le gruyère et le vacherin.

Dans un cul-de-poule, les mélanger avec la fécule de maïs délicatement avec les mains.

Dans un caquelon, mettre le vin à frémir doucement avec l'ail, de 5 à 7 minutes.

4. Ajouter au vin le concassé de tomates fraîches et laisser mijoter doucement 1 minute.

5. Ajouter les fromages au caquelon, une petite quantité à la fois, en remuant pour rendre la préparation homogène.

Une fois les fromages fondus, poursuivre la cuisson de 2 à 3 minutes à très petits frémissements pour lier le tout.

6. Couper le pain en cubes.

Piquer un cube avec une fourchette à fondue, puis le tremper dans le caquelon.

Astuces et tours de main

Le concassé de tomates n'est pas une véritable sauce parce que l'on conserve la tomate en brunoise plutôt que de la transformer en coulis.

Le triple concentré de tomate accentue la couleur et le goût de cette préparation qui accompagne également très bien les beignets de fleurs de courgette et les sardines.

Pour déguster cette fondue, mieux vaut utiliser un pain de la veille qui tient mieux sur la fourchette une fois trempé dans le caquelon.

En Suisse, on verse la fondue valaisanne avec une louche sur des pommes de terre bouillies.

L'accord du sommelier

Le fendant, appelé chasselas, combine acidité, arômes floraux, saveurs fruitées et une touche de miel. Il possède aussi la profondeur minérale et le caractère requis pour bien s'accorder avec la fondue et sa garniture. Un vin blanc suisse du Valais, pour un choix régional, à base du cépage petite arvine, élégant, fin et à l'acidité nerveuse, serait tout autant un régal.

PISSALADIÈRE

Temps de préparation : 45 minutes / Temps de cuisson : 45 minutes / Portions : 8

Ingrédients

6 gros oignons espagnols
3 gousses d'ail
15 ml (1 c. à soupe) de thym, frais
1 tomate jaune
1 tomate rouge
2 poivrons rouges, grillés, pelés
   et épépinés

750 g (1½ lb) de pâte à pizza (p. 82)
45 ml (3 c. à soupe) d'huile d'olive
3 feuilles de laurier, frais
12 filets d'anchois à l'huile
75 ml (⅓ tasse) d'huile d'olive
45 ml (3 c. à soupe) d'huile
   de fines herbes

24 petites olives de Nice (pour la
   décoration)
Quelques filets d'anchois à l'huile
   (pour la décoration)

Technique

1. Préchauffer le four à 240 °C (475° F).

   Préparer la garniture. Éplucher et émincer les oignons.

   Hacher l'ail finement, puis le thym.

   Tailler les tomates en fines tranches et les poivrons grillés en lanières.

   Réserver.

2. Abaisser la pâte à pizza sur un plan de travail légèrement fariné, puis la déposer sur une plaque de cuisson de 34 cm × 33 cm (13 po × 18 po) recouverte de papier parchemin. Former une bordure en repliant les côtés de la pâte vers l'intérieur.

Dans une sauteuse, chauffer l'huile à feu moyen et faire revenir les oignons, l'ail, le thym et les feuilles de laurier.

Remuer environ 10 minutes avec une cuillère en bois ou jusqu'à ce que les oignons soient fondants et légèrement colorés.

3. Préparer l'huile d'anchois. Passer les anchois au mélangeur à main avec l'huile d'olive pour obtenir une texture plutôt liquide.

À l'aide d'un pinceau, badigeonner le fond de la pâte d'huile d'anchois.

4. Étendre les oignons sur la pâte, puis badigeonner les pourtours avec l'huile de fines herbes.

5. Décorer avec les olives, les lanières de poivrons, les filets d'anchois et les tranches de tomates.

Cuire au four de 20 à 30 minutes sur la grille du bas.

6. À la sortie du four, couper la pissaladière en 8.

Servir chaude, accompagnée d'une salade verte.

Astuces et tours de main

Tout comme la pizza, la pissaladière doit être placée dans un four à température élevée pour permettre à la pâte de cuire suffisamment.

Badigeonner d'huile d'olive ou d'huile de fines herbes les pourtours de la pâte permet à celle-ci de mieux colorer pendant la cuisson.

Il est important de laisser les oignons tiédir avant de les mettre sur l'abaisse de pâte.

La pissaladière est parfaite pour l'apéro. En la cuisant sur une plaque rectangulaire, il est ensuite facile de la tailler en petites bouchées individuelles pour un cocktail.

L'accord du sommelier

Cette tarte niçoise appelle un vin rosé de Provence à la robe pâle, saumonée, où l'expression aromatique s'ordonne autour de petits fruits rouges aux nuances de menthe et de fenouil. La matière et la fraîcheur d'un Bandol ou d'un Côtes de Provence étanchent la soif et signent un accord.

Les desserts

___

183

CRÈME BRÛLÉE À LA VANILLE

Temps de préparation : 15 minutes / Temps de cuisson : 1 h à 1 h 30 / Portions : 4

Ingrédients

Crème brûlée
6 jaunes d'œufs
125 g (½ tasse) de sucre
2 petites gousses de vanille
500 ml (2 tasses) de crème 35 %

Garniture
60 g (¼ tasse) de sucre granulé
    ou de cassonade

Technique

1. Préchauffer le four à 125 °C (250 °F).

Mettre les jaunes d'œufs dans un cul-de-poule et les blanchir vigoureusement avec le sucre.

2. Couper les gousses de vanille en 2, sur la longueur.

Gratter les gousses avec la pointe d'un couteau pour en retirer les graines.

Dans une casserole, verser le lait et la crème. Ajouter la vanille et porter à ébullition.

3. Verser immédiatement le mélange bouillant sur les jaunes d'œufs blanchis.

Bien mélanger à l'aide d'un fouet. Remuer doucement, sans faire mousser.

4. Déposer les ramequins sur une plaque de cuisson à bords assez hauts, puis les remplir à ras bords.

5. Verser de l'eau chaude dans la plaque jusqu'aux trois quarts de la hauteur des ramequins.

Cuire au four de 1 h à 1 h 30 ou jusqu'à ce que la crème tremblote légèrement au centre.

À la sortie du four, laisser tempérer, puis réfrigérer quelques heures.

6. Au moment de servir, saupoudrer délicatement les crèmes de sucre granulé, puis le caraméliser à l'aide d'un chalumeau.

Astuces et tours de main

La crème brûlée peut être parfumée de différentes façons. Il suffit d'infuser du thé vert, du safran ou du basilic dans le lait, puis de filtrer le liquide. Si l'on veut parfumer la crème brûlée aux agrumes, il faut utiliser les essences ou les zestes blanchis des agrumes, et non le jus.

Pour la crème brûlée, la cuisson à feu doux au bain-marie est un gage de réussite. Une cuisson à feu trop élevé risque de la faire gonfler, puis s'affaisser.

Au moment de caraméliser les crèmes, il faut brûler le sucre doucement. Commencer en tenant la flamme du chalumeau éloignée du sucre, puis l'approcher doucement du ramequin.

La crème brûlée peut se préparer la veille et infuser toute une nuit. Le lendemain, il suffit de passer la préparation au tamis et de cuire 15 minutes de plus.

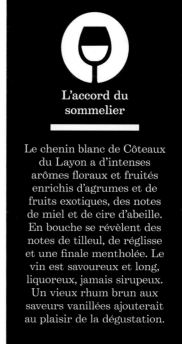

L'accord du sommelier

Le chenin blanc de Côteaux du Layon a d'intenses arômes floraux et fruités enrichis d'agrumes et de fruits exotiques, des notes de miel et de cire d'abeille. En bouche se révèlent des notes de tilleul, de réglisse et une finale mentholée. Le vin est savoureux et long, liquoreux, jamais sirupeux. Un vieux rhum brun aux saveurs vanillées ajouterait au plaisir de la dégustation.

CRÊPES SUZETTE

Temps de préparation : 20 minutes / Temps de cuisson : 10 minutes / Portions : 4

Ingrédients

8 crêpes (p. 78)

Sirop

Zeste de 2 oranges sanguines
8 oranges sanguines ou 500 ml
  (2 tasses) de jus d'orange
75 g (⅓ tasse) de sucre
30 g (2 c. à soupe) de beurre,
  non salé, en cubes
30 ml (2 c. à soupe) de Grand Marnier

Crème glacée maison à la vanille

Technique

1. Prélever le zeste sur 2 oranges sanguines à l'aide d'un économe et les tailler en julienne.

   Dans une casserole d'eau bouillante, faire blanchir les zestes 30 secondes pour enlever leur amertume.

2. Passer les zestes sous l'eau froide et les égoutter.

Couper les 8 oranges en 2 et les presser pour en extraire le jus.

Verser le jus dans la poêle, ajouter le sucre, le zeste, puis faire réduire jusqu'à consistance d'un sirop léger.

3. Incorporer les cubes de beurre et remuer hors du feu.

Prélever un tiers du sirop dans la poêle, le verser dans une petite casserole et le réserver pour la finition.

Conserver les deux autres tiers dans la poêle.

4. Plier les 8 crêpes en 4 ou en 6 et les étaler dans la poêle.

Remettre la poêle sur le feu et réchauffer les crêpes dans le sirop.

Les retourner pour bien les enrober.

5. Chauffer le Grand Marnier dans une louche ou dans une casserole et faire flamber les crêpes aussitôt.

6. Déposer 2 crêpes dans chaque assiette, avec une quenelle de crème glacée à la vanille.

Arroser avec une cuillerée du sirop réservé pour la finition et quelques zestes d'orange. Servir.

Astuces et tours de main

Pour éviter que les crêpes collent au fond de la poêle au moment de les réchauffer, deux points sont à retenir :

1. Il faut amener le sirop doucement à ébullition en remuant la poêle dans un mouvement circulaire.

2. Il faut chauffer le Grand Marnier dès que le sirop bout et flamber les crêpes aussitôt.

En saison, utiliser des oranges sanguines. Elles sont plus parfumées et donneront une belle couleur à votre sauce.

L'accord du sommelier

Le muscat de Beaumes-de-Venise est intéressant pour sa note d'agrumes confits, intense et fraîche, mêlée aux arômes de fruits exotiques et de fleurs, avec en finale une pointe de rose. Équilibre des sucres et fraîcheur en bouche sont des constantes de ce vin doux naturel de grande élégance. Un Grand Marnier pourrait tout autant se jouer sur les notes d'agrumes.

GÂTEAU AU CHOCOLAT

Temps de préparation : 60 minutes / Temps de cuisson : 45 minutes / Portions : 10

Ingrédients

Mousse au chocolat

310 ml (1¼ tasse) de crème 35 %

45 g (3 c. à soupe) de beurre,
non salé

360 g (12 oz) de pastilles ou
de copeaux de chocolat noir
(70 % cacao)

3 blancs d'œufs

150 g (⅔ tasse) de sucre

6 jaunes d'œufs

Gâteau au chocolat

200 g (1½ tasse) de farine à pâtisserie

60 g (½ tasse) de cacao

5 ml (1 c. à thé) de bicarbonate

1 pincée de sel

150 g (⅔ tasse) de beurre, non salé

200 g (1½ tasse) de sucre glace

2 jaunes d'œufs

250 ml (1 tasse) de lait, tiède

2 gousses de vanille ou 5 ml (1 c. à thé)
d'essence de vanille

6 blancs d'œufs

Technique

1. Préparer la mousse. Dans une petite casserole, porter à ébullition la crème et le beurre.

   Mettre le chocolat dans un cul-de-poule, verser le liquide chaud sur le dessus et remuer délicatement.

   Dans un autre cul-de-poule, monter les blancs d'œufs en neige avec le sucre, puis ajouter les jaunes.

2. À l'aide d'une spatule, incorporer les jaunes d'œufs aux blancs en pliant doucement pour faire pénétrer l'air dans l'appareil.

Toujours en pliant, incorporer délicatement le mélange au chocolat.

3. Verser dans un récipient en verre et réfrigérer quelques heures.

4. Préchauffer le four à 190 °C (375 °F).

Beurrer et fariner un moule à charnière de 23 cm (9 po) de diamètre.

Préparer le gâteau. Dans un cul-de-poule, tamiser la farine, le cacao, le bicarbonate et le sel.

Dans un bol, au batteur à main, crémer le beurre et le sucre.

5. Ajouter les jaunes d'œufs, le lait et la vanille, puis incorporer doucement les ingrédients secs au mélange.

Dans un cul-de-poule, monter les blancs en neige.

6. Ajouter les blancs en neige à la préparation au chocolat à l'aide d'une spatule en caoutchouc.

Mélanger jusqu'à ce que la préparation soit lisse et onctueuse.

Verser la pâte à dans le moule et cuire au four de 40 à 45 minutes.

7. À la sortie du four, réserver à la température de la pièce et attendre 30 minutes avant de démouler.

8. Pour le montage. Découper le gâteau en 3 horizontalement, à l'aide d'un couteau dentelé.

Étendre une généreuse couche de mousse au chocolat sur chacune des tranches et les empiler.

9. Déposer le gâteau sur un plat de service.

À l'aide d'une spatule coudée, glacer le gâteau avec le reste de la mousse au chocolat.

10. Décorer le gâteau de copeaux prélevés dans un bloc de chocolat bien dur, à l'aide d'un économe.

Conserver le gâteau sous une cloche, à température ambiante.

Astuces et tours de main

Il est important de laisser tempérer tous les ingrédients et même de faire tiédir le lait avant de réaliser le gâteau. Cette étape permet aux ingrédients de bien se mélanger.

Tamiser les ingrédients secs permet d'obtenir une poudre fine et régulière, et d'éliminer les grumeaux dans la préparation.

À l'étape 6, lorsque le mélange au chocolat est bien lisse, incorporer d'abord un tiers des blancs d'œufs en neige et bien mélanger. Ajouter ensuite les deux tiers restants, qui s'incorporeront beaucoup plus facilement.

Pour le gâteau au chocolat, la mousse au chocolat est un choix intéressant, car elle est plus légère et plus délicate que le traditionnel crémage au beurre.

En laissant la mousse quelques heures au réfrigérateur, elle devient plus facile à manipuler au moment de glacer le gâteau. À partir de cette recette de mousse au chocolat, on peut aussi réaliser de belles quenelles et les accompagner de crème anglaise.

L'accord du sommelier

La puissance et la rondeur des grenaches noirs de Banyuls, selon l'intensité de l'oxydation et la durée de l'élevage, conduisent ce vin doux naturel vers des notes de torréfaction, de cacao, de tabac et de fruits cuits, où alcool et tannins s'équilibrent et où le sucre, ainsi entouré, se fond et amplifie le volume. Ce qui était puissance devient velours. Un pineau des Charentes Ruby, au risque de se répéter.

NEW YORK *CHEESECAKE*

Temps de préparation : 45 minutes / Temps de cuisson : 3 h 30 / Temps de repos biscuit : 30 minutes / Portions : 12 à 15

Ingrédients

Biscuit aux zestes d'agrumes

125 g (½ tasse) de beurre, non salé

75 g (⅓ tasse) de sucre granulé

15 ml (1 c. à soupe) de zeste
de citron, blanchi

15 ml (1 c. à soupe) de zeste
d'orange, blanchi

15 ml (1 c. à soupe) de Triple Sec

150 g (1 tasse) de farine

Une pincée de sel

60 g (¼ tasse) de beurre, ramolli

Appareil au fromage

750 g (3 tasses) (3 briques de 250 g)
de fromage à la crème Philadelphia,
tempéré

150 g (⅔ tasse) de sucre granulé

30 ml (2 c. à soupe) de fécule de maïs

Zeste de 2 citrons

1 gousse de vanille

2 œufs

2 jaunes d'œufs

250 ml (1 tasse) de crème sure

Technique

1. Dans un cul-de-poule, à l'aide d'un mélangeur à main, ramollir le beurre et le mélanger avec le sucre à vitesse moyenne pendant 3 minutes.

198

2. En remuant à l'aide d'une cuillère en bois, ajouter le zeste, le Triple Sec, la farine et le sel.

3. À l'aide d'un papier parchemin, confectionner un rouleau avec la pâte à biscuit et réfrigérer 30 minutes.

4. Préchauffer le four à 160 °C (325 °F).

Couper le rouleau de pâte à biscuit en tranches de 1 cm d'épaisseur.

Déposer les disques de biscuit sur une plaque à pâtisserie recouvertre d'un papier parchemin. Cuire au four de 12 à 15 minutes. Laisser tempérer.

5. Dans le bol d'un robot culinaire, mettre les disques de biscuit avec le beurre ramolli.

Pulser jusqu'à l'obtention d'une consistance granuleuse.

6. Préchauffer le four à 200 °C (400 °F).

Chemiser un moule à charnière.

Déposer le mélange de biscuit au fond du moule et bien le presser avec une tasse à mesurer.

Cuire à nouveau au four environ 10 minutes. Laisser refroidir.

7. Dans le bol du robot culinaire, amener le fromage Philadelphia à consistance lisse.

Ajouter le sucre, la fécule de maïs, le zeste et la vanille.

Incorporer ensuite les œufs, les jaunes d'œufs et la crème sure. Bien mélanger quelques minutes.

8. Préchauffer le four à 180 °C (350 °F).

Verser la préparation dans le moule à charnière, sur le biscuit. Cuire 15 minutes.

Baisser la température du four à 110 °C (225 °F) et poursuivre la cuisson 2 heures.

Éteindre le four, mais y laisser le gâteau 1 heure.

9. Laisser le gâteau refroidir complètement, puis le démouler.

Déposer le gâteau sur une assiette de service.

10. Garnir le gâteau de petits fruits.

Les mûres, les fraises, les framboises et les bleuets accompagnent à merveille le New York *cheesecake*.

Servir si désiré avec votre coulis préféré.

Astuces et tours de main

Pour réussir ce gâteau, il est impératif d'utiliser le fromage à la crème de marque Philadelphia.

Il est important également que tous les ingrédients soient à la température de la pièce.

Utiliser de préférence un moule à charnière, car ce gâteau, avouons-le, est difficile à démouler.

La cuisson en trois étapes a pour but d'éviter que le gâteau gonfle, s'affaisse et se fissure.

Le biscuit aux zestes d'agrumes est ma version du *shortbread*. Délicieux avec du thé!

L'accord du sommelier

Avec la subtilité des zestes d'agrumes, une vendange tardive issue du cépage riesling, en Alsace, qui mêle des notes de fruit de la passion, de citron et d'agrumes, aux notes florales de rose, de sous-bois et de réglisse, donne une approche moelleuse, riche et ample, captivant par son velouté et sa texture. Un vin de glace du Canada ou une mention Auslese d'Allemagne sont deux rieslings d'une extrême finesse.

SABAYON SUCRÉ

Temps de préparation : 30 minutes / Temps de cuisson : 12 minutes / Portions : 4

Ingrédients

4 clémentines
4 gros jaunes d'œufs ou 6 petits
    jaunes d'œufs
30 g (2 c. à soupe) de sucre
60 ml (¼ tasse) de champagne
    Bourdaire-Gallois ou autre
30 ml (2 c. à soupe) de liqueur de
    clémentine ou de Grand Marnier
60 ml (¼ tasse) de jus de clémentine
Quelques feuilles de menthe fraîche

Technique

1. Éplucher les clémentines
et les trancher en rondelles.

Déposer les tranches de
clémentine sur les parois
de 4 verres à martini.

2. Dans un cul-de-poule ou dans la casserole supérieure d'un bain-marie, mettre les jaunes d'œufs.

Ajouter le sucre, le champagne, la liqueur et le jus de clémentine.

3. Faire mousser la préparation hors du feu, en battant énergiquement.

Ajouter un peu d'eau si l'appareil ne mousse pas.

4. Déposer le cul-de-poule ou la casserole sur le récipient du dessous, rempli au tiers avec de l'eau en ébullition.

Conserver ce niveau d'eau tout au long de la cuisson.

5. Battre la préparation avec un fouet jusqu'à ce que le mélange devienne épais. Sa texture doit être onctueuse et suffisamment ferme pour former un ruban.

6. Verser le sabayon dans les verres à martini, jusqu'au bord.

Décorer les coupes avec quelques feuilles de menthe fraîche et servir.

Astuces et tours de main

Pour réussir un sabayon, il faut utiliser des œufs très frais.

Les œufs bio donnent de meilleurs résultats. Ils moussent davantage, et la couleur du sabayon est plus belle, plus jaune.

Il faut faire attention de ne pas trop sucrer le sabayon pour éviter qu'il devienne lourd.

Au moment de la cuisson au bain-marie, la quantité d'eau est très importante. En cours de cuisson, la quantité d'eau diminue, ce qui a pour effet de réduire également la vapeur sous la casserole. La cuisson peut alors être inégale. S'il y a trop d'eau, la vapeur devient trop importante, et le sabayon cuit trop rapidement. Il faut s'assurer de toujours conserver le niveau d'eau au tiers de la casserole.

L'accord du sommelier

L'accord idéal se fait avec le vin ou l'eau-de-vie qui a servi à la confection du sabayon. Dans ce cas-ci, un champagne au nez de beurre frais, de brioche et de pain grillé, et dont le bouquet fruité allie finesse et nervosité semble une piste harmonieuse et équilibrée.

SHORTCAKE AUX FRAISES

Temps de préparation : 15 minutes / Temps de cuisson : 10 à 12 minutes / Portions : 8

Ingrédients

Biscuit de Savoie
6 jaunes d'œufs
300 g (1¼ tasse) de sucre
6 blancs d'œufs
75 g (½ tasse) de farine
45 ml (3 c. à soupe) de fécule
   de maïs

Garniture de fraises
1 kg (2¼ lb) de fraises
60 à 125 g (¼ à ½ tasse) de sucre

Crème fouettée au chocolat blanc
225 g (½ lb) de chocolat blanc
560 ml (2¼ tasses) de crème 35 %
5 ml (1 c. à thé) d'essence de vanille
   de bonne qualité

Quelques fraises, tranchées
Quelques feuilles de menthe

Technique

1. Préchauffer le four à 160 °C (325 °F).

   Préparer le biscuit. Dans un cul-de-poule, blanchir les jaunes d'œufs avec la moitié du sucre.

   Dans un autre cul-de-poule, monter les blancs d'œufs en neige avec le reste du sucre, à l'aide d'un mélangeur à main.

2. Incorporer délicatement les jaunes d'œufs aux blancs d'œufs en pliant avec la spatule.

3. Tamiser la farine et la fécule sur l'appareil d'œufs et mélanger doucement en pliant avec la spatule.

4. Étendre la pâte à biscuit uniformément sur une plaque à pâtisserie de 46 cm × 33 cm (18 po × 13 po) recouverte d'une feuille de papier parchemin beurrée et farinée.

Cuire au four de 10 à 12 minutes.

5. Laisser tempérer le biscuit à la sortie du four, puis le décoller délicatement du papier parchemin en prenant soin de ne pas le briser.

210

6. Réserver une dizaine de fraises pour la décoration du gâteau.

Équeuter le reste des fraises et les couper en fines tranches.

Ajouter le sucre et laisser macérer 1 heure.

À l'aide d'une passoire, retirer les fraises et réserver le sirop pour le montage du gâteau.

7. Préparer la crème fouettée au chocolat. Dans un bain-marie, faire fondre le chocolat avec 60 ml (¼ tasse) de crème.

Pendant ce temps, fouetter énergiquement le reste de la crème sans trop la serrer.

8. Laisser tiédir le chocolat fondu hors du feu, puis incorporer ⅓ de la crème fouettée.

Ajouter le reste de la crème et fouetter pour donner de la consistance.

Réfrigérer aussitôt.

9. Couper le biscuit de Savoie en 3 parties égales selon les dimensions du moule. Recouvrir le fond et les parois du moule avec une pellicule plastique.

Placer une tranche de biscuit au fond du moule et, à l'aide d'un pinceau, la badigeonner de sirop de fraise.

Ajouter des tranches de fraises, puis une couche de crème fouettée au chocolat. Répéter l'opération avec la deuxième tranche de biscuit, puis déposer la troisième tranche sur le dessus.

Sceller le gâteau avec de la pellicule plastique et réfrigérer quelques heures.

10. Renverser le gâteau sur un plat de service pour le démouler, puis retirer la pellicule plastique.

Recouvrir le dessus et les côtés du gâteau avec le reste de la crème.

Décorer de fines tranches de fraises et de quelques feuilles de menthe fraîche.

Astuces et tours de main

On confectionne souvent le shortcake avec une génoise, alors que le biscuit de Savoie est plus facile à réaliser et cuit beaucoup plus rapidement. Il est aussi plus léger et facile à travailler.

La crème fouettée au chocolat blanc apporte de l'onctuosité à ce gâteau et le rend encore plus exquis. Pour réussir cette préparation, il est important de laisser le chocolat tiédir avant d'y incorporer la crème pour éviter que celle-ci ne fonde trop à son contact.

On peut réaliser ce gâteau avec d'autres petits fruits comme des framboises, des mûres et des bleuets.

Pour une présentation plus simple, confectionner le gâteau dans un moule à gâteau en verre, sans pellicule plastique. Décorer le gâteau et le servir sans le démouler.

L'accord du sommelier

Le jurançon moelleux est royal. C'est la personnalité du petit manseng qui apporte les nuances de fruits mûrs et d'épices douces, tout comme le juste équilibre de la douceur des sucres résiduels et de la fraîche vivacité de son acidité. La texture en bouche est séveuse, la structure est ronde, mais la finale est vive. Le tout allie concentration et délicatesse.

TARTE AU CITRON MERINGUÉ

Temps de préparation : 45 minutes / Temps de cuisson : 30 minutes / Portions : 6 à 8

Ingrédients

1 abaisse de pâte sucrée à la poudre
   d'amandes (p. 90)
6 citrons
6 gros œufs
300 g (1¼ tasse) de sucre
15 ml (1 c. à soupe) de fécule de maïs
75 g (⅓ tasse) de beurre doux froid,
   en cubes

Meringue française
6 blancs d'œufs, tempérés
1 pincée de sel
225 g (½ lb) de sucre, granulé

Technique

1. Foncer un moule à tarte à fond
   amovible de 23 cm (9 po)
   avec une abaisse de pâte
   sucrée, puis mettre le moule
   au congélateur 20 minutes
   pour raffermir la pâte.

   Préchauffer le four à 200 °C
   (400 °F).

   Déposer le moule sur une
   plaque de cuisson et cuire
   au four 12 minutes.

   Refroidir sur une grille.

2. Prélever le zeste de 3 citrons à l'aide d'une râpe Microplane en évitant de prendre la membrane blanche.

Blanchir le zeste en le plongeant 10 secondes dans une casserole d'eau bouillante.

Couper tous les citrons en 2 et les presser.

Passer le jus au tamis pour éliminer la pulpe et les noyaux et obtenir environ 310 ml (1¼ tasse).

3. Casser les œufs et séparer les jaunes des blancs.

Réserver les blancs pour la meringue.

Dans un cul-de-poule, blanchir vigoureusement les jaunes d'œufs avec la moitié du sucre à l'aide d'un fouet, puis ajouter la fécule.

Verser le jus de citron dans une casserole, ajouter le zeste blanchi, le reste du sucre et porter à ébullition.

4. Verser le jus bouillant sur les jaunes blanchis et mélanger avec une cuillère en bois pour ne pas faire mousser l'appareil.

5. Remettre la préparation dans la casserole et cuire au bain-marie environ 10 minutes ou jusqu'à épaississement.

6. Monter la préparation au beurre en ajoutant quelques cubes de beurre froid à la fois et en mélangeant énergiquement avec une cuillère en bois.

7. Verser l'appareil au citron dans l'abaisse de tarte cuite.

Pour s'étendre facilement, l'appareil au citron doit être encore chaud au moment de le verser dans l'abaisse de tarte.

Réfrigérer.

8. Préparer la meringue. Dans un bol, battre au mélangeur électrique les blancs d'œufs avec la pincée de sel.

9. Quand les blancs commencent à mousser, ajouter le sucre en fine pluie, puis lorsqu'ils commencent à monter, battre à vitesse maximale quelques secondes pour serrer la préparation.

10. Sortir la tarte du réfrigérateur.

Couper le bout d'une poche à pâtisserie en plastique d'environ 2 cm, puis remplir la poche de meringue française.

Étendre la meringue sur la garniture au citron, de gauche à droite.

Terminer en brûlant la meringue au chalumeau.

Astuces et tours de main

Cette recette est pour les amateurs de citron, car son acidité est très prononcée. Par contre, la meringue française et la pâte sucrée apportent un bel équilibre en bouche.

Le beurre incorporé à l'appareil au citron aide à raffermir la préparation une fois celle-ci refroidie et à atténuer son acidité.

Pour des citrons plus juteux, les sortir quelques heures à l'avance du réfrigérateur et les rouler avec la paume de la main sur la surface de travail avant de les presser.

L'accord du sommelier

Les vins de glace québécois ont des saveurs riches et un moelleux inégalé. La teneur en sucre naturel de ce liquide doré est très élevée, sa texture est d'une bonne épaisseur et d'une grande richesse. Le cépage vidal offre un bouquet subtil de pêche, de miel, d'érable et d'agrumes confits. Les vins de glace à base de riesling font autant de merveilles.

TARTE AU SUCRE D'ÉRABLE

Temps de préparation : 10 minutes / Temps de cuisson : 45 minutes / Portions : 6

Ingrédients

6 fonds de tartelettes précuites
  (p. 90)

Appareil au sucre d'érable
175 ml (¾ tasse) de sucre d'érable
45 ml (3 c. à soupe) de farine
500 ml (2 tasses) de crème 35 %
2 gros œufs
15 ml (1 c. à soupe) de cannelle
  moulue

Technique

1. Préchauffer le four à 110 °C (225 °F).

Verser 30 ml (2 c. à soupe) de sucre d'érable sur chaque fond de tartelette précuite.

2. Tamiser 7,5 ml (1½ c. à thé) de farine sur le sucre d'érable de chaque tartelette.

3. Dans un bol, mélanger la crème et les œufs.

Déposer les fonds de tartelettes sur une plaque à biscuits.

4. À l'aide d'une louche, verser l'appareil au sucre d'érable lentement dans les fonds de tartelettes, jusqu'au rebord.

5. Saupoudrer généreusement de cannelle et cuire au four 45 minutes.

6. À la sortie du four, laisser tempérer les tartelettes sur une grille.

Servir à la température de la pièce.

Astuces et tours de main

Pour éviter de renverser les tartelettes remplies à ras bords au moment de les transporter jusqu'au four, verser le mélange d'œufs et de crème lorsque les tartelettes sont déjà au four, puis ajouter la cannelle.

Cuire les tartelettes lentement à basse température est primordial pour éviter que l'appareil gonfle, puis s'affaisse.

Ces tartelettes se conservent au réfrigérateur. Toutefois, avant de les servir, il est préférable de les laisser reposer une heure à la température de la pièce pour permettre au sirop de bien imbiber la pâte. Elles n'en seront que plus savoureuses.

L'accord du sommelier

Avec l'érable, il est agréable de mettre en relief des vins qui évoquent les noix, les fruits secs, le caramel et les arômes grillés. Les rivesaltes à base de grenache blanc, maccabeu, malvoisie et muscat s'accordent pour livrer des vins naturellement riches qui laissent des parfums d'anis, d'amande et de fruits confits, et qui ont une longueur en bouche surprenante.

TARTE TATIN AU SUCRE VANILLÉ

Temps de préparation : 30 minutes / Temps de cuisson : 60 minutes / Portions : 8

Ingrédients

Tarte

225 g (½ lb) de beurre, demi-sel, tempéré

125 g (½ tasse) de sucre vanillé

12 pommes jaunes Délicieuses

1 citron

310 g (⅔ lb) de pâte feuilletée

2 jaunes d'œufs

15 ml (1 c. à soupe) de lait

Garniture

45 ml (3 c. à soupe) de crème sure

Crème glacée à la vanille (facultatif)

Technique

1. Préchauffer le four à 210 °C (425 °F).

   Dans un bol, battre le beurre en pommade et l'étendre uniformément sur toute la surface d'une sauteuse ou d'une poêle.

   Saupoudrer le sucre vanillé sur le beurre et réserver.

   Peler les pommes et les couper en 2.

   À l'aide d'une cuillère parisienne, les évider en prenant soin de retirer tous les pépins et les résidus des cœurs.

   Bien citronner l'intérieur des pommes pour éviter l'oxydation.

2. Disposer les moitiés de pomme côte à côte, à la verticale, sur le mélange beurre-sucre, en commençant le long de la paroi de la sauteuse ou de la poêle.

Faire un tour complet et continuer vers l'intérieur en enfonçant légèrement les pommes dans le mélange beurre-sucre pour les maintenir en place. La dernière moitié de pomme devrait entrer à la serre.

Répéter pour la partie centrale.

3. Déposer la sauteuse ou la poêle sur la cuisinière.

Chauffer d'abord à feu moyen, puis fort, environ 20 minutes ou jusqu'à ce que le beurre et le sucre forment un caramel et commencent à dorer sous les pommes.

Retirer du feu et laisser tempérer 10 minutes.

4. Pendant ce temps, abaisser la pâte feuilletée avec le rouleau à pâtisserie.

   Former un disque de 33 cm (16 po). Ce disque doit dépasser d'au moins 2,5 cm (1 po) la circonférence de la sauteuse ou de la poêle.

   Étendre la pâte sur les pommes et replier le contour pour former un rebord plus épais.

   Dans un bol, mélanger les jaunes d'œufs et le lait, puis, à l'aide d'un pinceau, badigeonner la pâte avec la dorure.

5. Déposer la sauteuse ou la poêle au four sur la grille du bas.

   Cuire de 20 à 30 minutes ou jusqu'à ce que la pâte soit bien dorée.

   Sortir la tarte du four et la laisser tempérer environ 15 minutes, le temps qu'elle absorbe le caramel.

6. Pour démouler la tarte, poser un plateau ou une assiette dessus. D'un mouvement rapide, retourner le plateau à l'envers.

Servir avec de la crème sure et de la crème glacée à la vanille.

Astuces et tours de main

Un sautoir de 27 cm (11 po) de diamètre et de 5 cm (2 po) de hauteur est idéal pour réaliser la tarte tatin.

La paroi droite du sautoir permet aux pommes de mieux tenir à la verticale, contrairement aux moules à bord incliné.

Pour un bel effet visuel, il est important de bien serrer les moitiés de pomme, car elles ont tendance à rétrécir à la cuisson.

Cuire la tarte tatin sur une plaque de cuisson évite les débordements dans le four.

Deux points sont importants à retenir lors de la préparation de la tarte tatin :

1. Bien chauffer le mélange beurre-sucre sous les pommes sur la cuisinière jusqu'à ce qu'il atteigne une belle couleur caramel.

2. Laisser refroidir les pommes au moins 10 minutes avant de déposer la pâte sur le dessus.

L'accord du sommelier

C'est le moment idéal pour être local et choisir un cidre de glace du Québec au bel équilibre sucre-acidité, plus coulant que sirupeux, offrant une sensation en bouche plus fraîche que lourde. Un brandy de pommes de la Montérégie est une option d'eau-de-vie aux arômes parfaits.

Lexique

229

A

Abatis : Abats de volaille, comprenant la tête, le cou, les gésiers, le cœur et le foie.

Abats : Parties comestibles d'un animal abattu, comprenant la cervelle, le foie, les ris et les rognons.

Abatte : Instrument de cuisine qui sert à battre et aplatir la viande.

Abricoter : Garnir de confit ou de marmelade d'abricots.

Acidulé : Saveur légèrement acide ou aigre.

Affiné : Se dit des aliments améliorés par le temps (ex : fruits ou fromage).

Aigre-doux : Se dit d'un aliment qui a une saveur à la fois aigre et douce.

Allégé : Se dit de certains aliments ou produits dont les proportions en gras, en sucre ou en alcool ont été diminuées (ex : fromages, jus de fruits, bières).

Amer : Se dit d'un aliment qui a une saveur irritante et même astringente.

Amourettes : Terme utilisé pour décrire la moelle épinière du bœuf, du mouton et du veau.

Aplatir : Rendre plus plat un poisson, une viande ou une volaille pour l'amincir uniformément.

Appareil : Mélange d'ingrédients qui servent à réaliser une préparation culinaire.

Âpre : Terme qui sert à décrire tout ce qui est désagréable au goûter, au toucher et à la vue.

Aqueux : Se dit d'une substance contenant de l'eau ou ayant le goût de l'eau.

Aromate : Substance provenant des végétaux pour parfumer les mets et leur donner davantage de goût.

Aromatiser : Ajouter des aromates ou des épices durant la préparation ou la cuisson de mets.

Arroser : Mouiller une viande ou une volaille durant la cuisson avec la graisse fondue ou son jus pour éviter qu'elle se dessèche et pour qu'elle prenne une belle couleur.

Astringent : Se dit d'un aliment qui provoque une forte sensation sur les papilles gustatives, entraînant parfois une impression d'assèchement.

Attendrir : Rendre un aliment plus tendre à l'aide de différentes techniques : l'aplatir avec une abatte, le mariner, le larder ou le cuire de façon appropriée.

B

Bain-marie : Ustensile de cuisson composé de deux casseroles, l'une contenant la préparation et que l'on dépose sur une autre contenant de l'eau maintenue près du point d'ébullition. Procédé culinaire servant également à maintenir une préparation au chaud.

Ballottine : Se dit d'une petite pièce de viande désossée, roulée, farcie et ficelée pour la cuisson. Se sert chaude ou froide.

Barde : Mince tranche de lard utilisée pour protéger les viandes et les volailles pendant la cuisson.

Bavette : Coupe de viande à fibres longues, plus souvent provenant du bœuf.

Beurre clarifié : Beurre fondu dont on a supprimé le petit lait et les impuretés.

Blanchir : Mettre des aliments dans l'eau salée et porter à ébullition pour cuire et conserver la couleur des légumes.

Bouillon : Bulles à la surface de l'eau ou d'un autre liquide bouillant. On appelle aussi « bouillon » le liquide obtenu par décoction ou ébullition de substances végétales ou animales (ex : bouillon de légumes ou de poulet).

Braiser : Cuire une viande, un poisson ou un légume longtemps dans une casserole couverte et dans peu de liquide, à feu doux.

Brider : Attacher avec de la ficelle les pattes et les ailes d'une volaille ou d'un gibier à plume pour les maintenir le long du corps.

Brunoise : Légumes coupés en dés minuscules et qui servent à composer un potage ou à garnir des viandes.

C

Canneler : Creuser de petits sillons parallèles et peu profonds à la surface d'un légume ou d'un fruit à l'aide d'un canneleur ou d'un couteau d'office pour en améliorer sa présentation.

Câpre : Bouton à fleur du câprier, utilisé comme condiment pour relever les sauces et les plats.

Caraméliser : Chauffer à feu doux du sucre pour le transformer en caramel.

Caviar : Œufs marinés de l'esturgeon.

Cervelle : En cuisine, terme utilisé pour nommer le cerveau des animaux. Partie comestible des animaux.

Champagne : Vin mousseux produit dans la province de Champagne en France.

Chapelure : Mie de pain séchée et réduite en poudre pour paner ou gratiner.

Châtrer : Enlever le boyau central des crevettes ou des langoustines avant de les cuisiner.

Chinois : Passoire de forme conique servant à filtrer les bouillons, les sauces et les crèmes fines ou à passer les sauces épaisses pour en éliminer les grumeaux.

Ciseler : Couper ou tailler en petits dés ou en très minces lanières des légumes et des herbes.

Citronner : Frotter la surface d'un fruit ou d'un légume avec du citron pour éviter qu'il noircisse au contact de l'air.

Compoter : Cuire doucement et longtemps, généralement des fruits ou des légumes, pour obtenir une compote ou une marmelade.

Concasser : Hacher ou couper plus ou moins grossièrement un aliment.

Condiment : Substance ajoutée à des aliments ou des plats cuisinés pour en relever le goût.

Confire : Cuire des aliments lentement dans la graisse, le sirop ou le sucre pour les conserver.

Confiture : Préparation de fruits entiers ou en morceaux, cuits dans un sirop de sucre.

Coulis : Terme utilisé pour désigner une

purée liquide versée sur des aliments.

Couperet : Couteau à très grosse lame.

Court-bouillon : Liquide aromatisée d'herbes et d'oignons, généralement additionné de vinaigre ou de vin, pour cuire les poissons, les crustacés ou certaines viandes blanches.

Croquette : Petite bouchée ou boulette panée et frite, servie chaude en hors-d'œuvre ou en garniture.

Crustacé : Animal à carapace dure, vivant dans l'eau salée ou douce. Les crustacés les plus courants sont le crabe, l'écrevisse, la crevette, le homard et la langoustine.

D

Darne : Tranche épaisse de 4 cm à 10 cm d'un gros poisson tel que le saumon, l'esturgeon, le cabillaud.

Découper : Diviser en morceaux une volaille, une viande, un poisson pour les apprêter s'ils sont crus ou les servir s'ils sont cuits.

Décuire : Abaisser le degré de cuisson ou la consistance d'un caramel, d'un sirop ou d'une confiture en y ajoutant de l'eau froide.

Dégorger : Faire tremper de la viande, de la volaille, des abats dans l'eau froide pour les débarrasser des impuretés et du sang.

Dépecer : Mettre en morceaux une pièce de viande ou un animal entier.

Dessécher : Retirer l'humidité ou l'excédent d'eau d'un aliment ou d'une préparation.

Détendre : Assouplir une pâte ou un appareil en y ajoutant un liquide approprié.

Dorure : Mélange d'œufs battus ou de jaunes additionnés d'eau pour dorer les pâtes, les pâtisseries.

Douille : Tube en forme d'entonnoir que l'on met dans une poche de toile ou de plastique et dont on se sert en cuisine et en pâtisserie pour décorer.

Dresser : Disposer de façon harmonieuse tous les éléments d'une préparation (viande, garniture, sauce) dans un plat de service ou dans une assiette.

Duxelles : Hachis de champignons, d'échalotes et d'oignons sautés au beurre, utilisé comme farce, garniture ou élément d'une sauce.

E

Ébarber : Couper au ciseau les nageoires d'un poisson cru ou parfaire la présentation des œufs pochés en ôtant les filaments de blanc irréguliers.

Ébullition : Mouvement d'un liquide soumis à la chaleur lors de son passage à l'état gazeux.

Écosser : Enlever la cosse (enveloppe) de certaines légumineuses.

Écumer : Enlever à l'aide d'une écumoire, une cuillère ou une petite louche la mousse blanchâtre (écume) qui se forme sur un liquide agité ou en ébullition.

Édulcorant : Produit naturel (fructose, glucose) ou de synthèse (aspartame, saccharine) utilisé pour donner une saveur sucrée à un aliment ou à un produit.

Émincer : Couper en lamelles ou en tranches fines, d'égale épaisseur, des légumes, des fruits ou de la viande.

Émulsion : Mélange de deux substances liquides qui ne se mélangent pas habituellement, grâce à un émulsifiant. La moutarde et le jaune d'œuf sont deux émulsifiants largement utilisés en cuisine.

Entremets : Plat sucré qui se sert entre le fromage et le dessert, plus généralement comme dessert.

Épicer : Assaisonner une préparation avec des épices pour en relever le goût.

Équeuter : Retirer la queue d'un fruit.

Essence : Concentré de substances aromatiques utilisé pour rehausser le goût d'une préparation.

Étamine : Tissu peu serré utilisé pour passer un coulis, une sauce ou une purée de fruits.

Étouffée : Façon de cuire les aliments dans leur propre jus dans un récipient hermétique sans ajout de liquide ou de matière grasse.

Étuvée : Façon de cuire doucement des aliments à la vapeur, en vase clos, en leur ajoutant un corps gras et un peu de liquide.

Extrait : Concentré obtenu en faisant réduire le fond de cuisson d'une viande, d'un poisson ou de légumes.

F

Faisander : Laisser un gibier dans un lieu frais pour que sa chair soit plus tendre et développe un fumet agréable.

Faisselle : Contenant perforé, souvent en osier, servant à égoutter le fromage frais.

Fariner : Enrober un aliment de farine ou saupoudrer un moule de farine.

Faux-filet : Morceau de bœuf qui se situe le long de l'échine.

Féculent : Substance qui contient de l'amidon ou de la fécule.

Fermentation : État d'un corps en décomposition par l'action des enzymes ou des ferments.

Feuilletage : Méthode de préparation de la pâte feuilletée qui consiste à incorporer du beurre à la pâte en la pliant sur elle-même, puis en la laissant reposer entre les ajouts de beurre.

Filet mignon : L'extrémité la plus fine du filet de bœuf.

Flamber : Arroser un mets préalablement chauffé d'un alcool que l'on enflamme.

Foncer : Garnir le fond d'un ustensile de cuisine avec de la pâte.

Fond : Bouillon ou jus aromatique de viande, de légumes ou de poisson (fumet) utilisé dans la préparation des sauces et de nombreux mets cuisinés afin de les parfumer.

Fondant: Préparation à base de sirop de sucre cuit jusqu'à ce qu'il prenne la consistance d'une pâte épaisse. On l'utilise en confiserie.

Fraiser: Pousser et écraser la pâte, la pétrir.

Frapper: Refroidir rapidement la température d'une préparation en la plaçant dans un bain de glace ou au congélateur.

Frémir: Agitation subtile d'un liquide juste avant qu'il atteigne le point d'ébullition.

Fricassée: Ragoût de volaille ou de veau.

Frire: Cuire rapidement un aliment par immersion dans un corps gras très chaud.

Fumage: Méthode de conservation des aliments, notamment de la viande et du poisson, que l'on soumet à une exposition prolongée à la fumée.

Fumet de poisson: Préparation très concentrée, obtenue par la cuisson d'arêtes et de parures de poissons dans de l'eau.

G

Galantine: Préparation de viande maigre agrémentée de divers ingrédients (œufs, épices, etc.) et présentée dans la gelée.

Gélatine: Substance incolore et inodore extraite des os des animaux et de certains végétaux.

Gésier: Deuxième estomac d'un oiseau.

Gibier: Animaux sauvages comestibles, à plume ou à poil.

Glaçage: Couche brillante et lisse à la surface des aliments.

Glace: Préparation congelée à base de lait, de sucre, de fruits ou d'arômes variés.

Glace de viande: Réduction d'un fond de viande qui se présente sous forme de gelée consistante.

Glace royale: Préparation à base de sucre et de blancs d'œufs.

Glucose: Sucre provenant des fruits et dont la composition est identique à celle du sucre ordinaire.

Gluten: Substance azotée, molle, membraneuse, très élastique, insoluble dans l'eau et que l'on retrouve dans plusieurs aliments, entre autres dans la farine ; il en est la partie essentielle nutritive.

Goberge: On l'appelle «lieu noir» ou «colin» en Europe. Vendue fraîche ou surgelée, elle entre aussi dans la préparation du surimi qui sert notamment à la fabrication du «simili-crabe».

Granité: Préparation congelée semi-prise à base de sirop de fruit ou de sirop aromatisé.

Grumeleux: Se dit d'un liquide contenant de petits agrégats formés de matières mal dissoutes.

H

Habiller: Préparer un poisson, une volaille ou un gibier pour la cuisson.

Hydromel: Boisson fermentée à base de miel.

I

Imbiber: Mouiller un gâteau avec un sirop ou un alcool pour le rendre moelleux et le parfumer.

Infuser: Faire macérer une substance aromatique dans un liquide bouillant afin que celui-ci s'en imprègne.

J

Julienne: Légumes coupés en bâtonnets très fins.

K

Kirsch: Eau-de-vie de cerises ou de merises.

L

Larder: Action d'introduire des morceaux de lard, plus ou moins gros, dans une pièce de viande.

Lardons: Petits morceaux de lard.

Lèchefrite: Ustensile de cuisine qui sert à recueillir la graisse et les jus de cuisson des viandes rôties ou cuites sur le gril.

Légume-racine: Légume dont la partie comestible est la racine, comme la carotte, la betterave, le panais, le navet, etc.

Levain: Culture de micro-organismes servant à provoquer la fermentation de certains aliments, notamment la pâte à pain.

Levure: Elle se compose de champignons capables de provoquer la fermentation de la matière organique. On l'utilise notamment dans la fabrication de la bière, du vin et de la pâte.

Lier: Épaissir une sauce ou une préparation liquide.

M

Macédoine: Mets composé de différents légumes ou de différents fruits coupés en petits morceaux de taille identique.

Macération: Action de laisser tremper, plus ou moins longtemps, un aliment dans un liquide pour qu'il s'imprègne de son parfum ou pour le conserver.

Macreuse: Dans la coupe française, viande provenant de l'épaule du bœuf.

Madère: Vin muté produit dans l'île de Madère

Maillet: Sorte de marteau présentant de petits pics, utilisé en cuisine pour attendrir la viande.

Manchonner: Nettoyer l'extrémité d'un os de façon à soigner la présentation d'une pièce de viande.

Marinière: Façon d'apprêter les moules ou les coquillages avec du vin blanc, des échalotes ou des oignons.

Marquer : Action de rassembler tous les ingrédients nécessaires à la préparation d'un plat. Démarrer la cuisson.

Maturité : État de mûrissement avancé d'un aliment.

Mendiant : Mélange de quatre fruits secs : amandes, figues, noisettes, raisins de Malaga.

Mignonnette : Poivre concassé.

Mitonner : Action de cuire longtemps à feu doux. De nos jours, on lui préfère le terme «mijoter».

Monder : Nettoyer des grains, des pépins en les séparant de leur enveloppe.

Mornay : Béchamel à laquelle on a ajouté du fromage et des jaunes d'œufs.

Mouiller : Ajouter du liquide durant la cuisson.

Mouillette : Petit morceau de pain trempé dans un œuf à la coque ou dans un liquide.

Moût : Jus extrait de fruits ou de divers végétaux, notamment du raisin, destiné à la fermentation alcoolique.

N

Nage (à la) : Cuit dans un court-bouillon.

Nappe (à la) : Sauce réduite jusqu'à ce qu'elle enduise le dos d'une cuillère.

Napper : Recouvrir de sauce un plat.

Noisette : Portion de la grosseur d'une noisette (ex. : noisette de beurre).

P

Paleron : Pièce du bœuf qu'on retrouve dans les membres antérieurs.

Palette : Pièce de viande qui compose l'omoplate et la chair autour.

Paner : Enrober un aliment de mie de pain ou de chapelure avant de le frire, le sauter ou le griller.

Parer : Préparer les viandes, les légumes ou les fruits en vue de la cuisson en ôtant les parties non comestibles.

Pectine : Gelée végétale.

Peler : Enlever une couche graisseuse ou un nerf d'une pièce de viande. Enlever la peau d'un fruit ou d'un légume.

Persillé : Préparation qui contient une grande quantité de persil haché ; ou se dit d'un fromage dont la pâte est parsemée de moisissures. Se dit aussi d'une viande parsemée de minces filets de graisse.

Petit-lait : Liquide restant après la coagulation du lait.

Pilon : Nom de l'instrument qui sert à écraser les aliments dans un mortier.

Pincer : Colorer des os, carcasses et légumes au four pour faire un fond brun.

Piquer : Insérer dans une pièce de viande de petits morceaux d'ail ou de lard. On pique les oignons de clous de girofle.

Pluche : Fines herbes ou plantes aromatiques dont on détache les feuilles des tiges.

Poche : Sachet en forme d'entonnoir au bout pointu muni d'un trou qui peut aussi contenir une douille. Souvent utilisé pour le glaçage.

Pocher : Cuire dans un liquide très chaud, mais non bouillant.

Polenta : Préparation culinaire à base de farine de maïs qui épaissit lors de la cuisson.

Pré-salé : Mouton élevé dans les prés qui avoisinent la mer.

Puits ou fontaine : Dépression que l'on creuse dans un tas de farine disposée sur un plan de travail ou dans un récipient creux.

Pulpe : Partie tendre d'un aliment d'origine végétale.

Q

Quasi : Morceau du haut de la cuisse d'un veau.

Quenelle : Rouleau formé d'un hachis de viande blanche ou de poisson qu'on lie avec de la mie de pain et des œufs.

R

Râble : Partie d'un animal à quatre pattes qui s'étend depuis le bas des épaules jusqu'à la naissance de la queue.

Rafraîchir : Refroidir rapidement sous l'eau froide ou dans un récipient rempli d'eau glacée.

Ragoût : Préparation culinaire à base de poissons, de viandes ou de légumes, cuits dans une sauce.

Raifort : Plante cultivée pour sa racine qui sert de condiment.

Ramequin : Petit récipient utilisé en cuisine et allant au four.

Réduction : Résultat d'un épaississement par une longue cuisson à feu doux.

Réduire : Faire évaporer un liquide par ébullition pour concentrer les saveurs.

Rissoler : Cuire à feu vif les aliments pour en dorer la surface.

Rouelle : Tranches épaisses coupées en rondelles.

Roux : Préparation de beurre et de farine utilisée pour épaissir les sauces, les potages, etc.

Ruban : On dit d'un mélange qu'il «fait des rubans» lorsqu'on soulève la cuillère, la spatule ou le fouet de la préparation et que des rubans se forment.

S

Sabler : Travailler la farine et le beurre entre les doigts afin de lui donner la texture granuleuse du sable.

Saindoux : Graisse de porc fondue.

Salamandre : Appareil de cuisine qui émet de la chaleur par le haut et dont on se sert pour gratiner ou pour glacer les plats.

Sangler : Refroidir un appareil en l'entourant de glace pour le saisir par le froid.

Saumure : Solution très concentrée en sel, dans laquelle on conserve les aliments.

Sauter : Cuire à la poêle à feu vif.

Sautoir : Plus connue sous le nom de « sauteuse ». Ustensile de cuisson muni d'une queue et dont les bords sont peu élevés.

Selle : Partie de certains animaux allant du bas des côtes à la cuisse (chevreuil, agneau).

Singer : Saupoudrer de farine des aliments revenus dans un corps gras avant d'ajouter un liquide pour confectionner une sauce.

Sirop de sucre : Préparation concentrée de sucre et d'eau qui sert à la confection des confitures, des sorbets, de certaines pâtisseries et de certains desserts.

Socle : Petit podium plus large que haut pour aider au dressage artistique de différentes substances alimentaires.

Sous-noix : Dans le bœuf, le mouton et le veau, morceau qui se trouve sous la noix.

Suer : Cuire les aliments dans un corps gras, à feu doux, afin de leur faire perdre une partie de leur eau de végétation et de concentrer leurs sucs.

Suif : Graisse fondue des ruminants.

Suprême : Blanc de volaille, filet de poisson ou de gibier.

Surlonge : Partie de la longe du bœuf qui ne comprend pas la longe courte.

T

Tamis : Ustensile de cuisine utilisé pour retirer les grumeaux ou donner une texture fine aux aliments et aux préparations.

Tartare : Mayonnaise aux câpres ; se dit également d'un poisson ou d'une viande haché, servi cru avec des aromates et parfois un œuf cru.

Tendron : Partie du bœuf et du veau entre la poitrine et le flanchet, utilisée notamment dans les pot-au-feu.

Terrine : Récipient en terre dont on se sert pour faire cuire certaines viandes ; se dit également du contenu de ce récipient.

Timbale : Moule assez haut, de forme cylindrique, servant à cuire différentes préparations.

Torréfier : Exposer à une chaleur intense pour faire griller.

Touiller : Remuer les aliments d'une préparation pour bien les mélanger ou les délayer.

Tourte : Tarte garnie notamment de viandes ou de volaille.

Tripes : Intestins des animaux.

Triturer : Manier pour obtenir un mélange homogène.

Trousser : Action de soutenir les pattes et les ailes d'une volaille en les maintenant repliées dans une position gracieuse.

Truffer : Ajouter des truffes dans un plat.

V

Vanner : Remuer une crème ou une sauce lorsqu'elle refroidit afin qu'elle conserve son homogénéité et d'empêcher la formation d'une peau à sa surface.

Venaison : Chair de tous les gros gibiers à poil.

X

Xérès : Vin blanc muté d'Espagne.

Z

Zester : Action de prélever le zeste d'une orange ou d'un citron.

Index

235

INDEX PAR SECTIONS

INDEX DES RECETTES PAR ORDRE ALPHABÉTIQUE

INDEX DES PRODUITS PAR **ORDRE ALPHABÉTIQUE**

Remerciements

Un grand merci à Suzanne, Laurie et Raphaël pour leur soutien constant. Ils m'ont laissé tout l'espace et le temps nécessaires pour travailler à ce livre. Votre aide m'est vitale et, sans vous, je n'aurais pu y arriver !

Merci à mes amis de me soutenir dans mes projets. Vos conseils et vos encouragements sont importants pour moi.

Merci à mes deux équipes du laurie raphaël de Québec et de Montréal, soit à plus de 70 collaborateurs loyaux. Dans mes deux restaurants, la qualité repose en partie sur votre dévouement, votre professionnalisme, votre créativité et surtout sur vos grandes qualités de cœur. C'est un honneur pour moi de travailler à vos côtés.

Je tiens particulièrement à remercier Marc Maulà pour toute l'aide qu'il m'a apportée dans la réalisation de ce livre, d'abord comme directeur photo et styliste culinaire, mais surtout à titre de conseiller personnel. Ses nombreuses connaissances m'amènent à prendre des décisions plus éclairées lorsque je crée un livre de cuisine.

Quel photographe pourrait nous endurer, Marc Maulà et moi, pendant des séances photo de plus de 12 heures par jour, parfois 6 jours d'affilée ? Marc Couture est cette personne toujours dévouée « à la cause » Daniel Vézina. Son talent, sa patience, son amour du métier, son humour et surtout sa grande flexibilité nous permettent même de nous éclater tout en travaillant sans relâche. Merci, Marc !

Merci à Brigitte Meunier de la compagnie Shun Canada pour les magnifiques couteaux. C'est toujours un grand plaisir pour moi de cuisiner avec ces instruments d'une qualité exceptionnelle. La précision dans mes coupes d'aliments est primordiale pour un résultat parfait.

Merci à monsieur Giroux, de Concept Giroux, pour ses planches de fabrication artisanale. La qualité du bois met en valeur mes techniques de base et les aliments que j'utilise pour cuisiner mes recettes.

Merci à Madone Poirier, représentante de l'est du Québec pour le groupe Seb, distributeur des produits All-Clad, pour les nombreux ustensiles de cuisson que j'utilise chaque jour et dont je ne pourrais plus me passer. Pour moi, bien cuisiner commence par des couteaux de qualité et se poursuit avec des ustensiles de cuisson ergonomiques, solides et qui offrent un rendement culinaire exemplaire.

Pour terminer, je tiens à remercier toute l'équipe des Éditions La Presse, et plus particulièrement Martine Pelletier, directrice de l'édition, qui croit toujours en mes projets et qui est prête à tout ou presque pour les réaliser !

Et un gros merci à Sylvie Latour, éditrice déléguée, qui travaille toujours avec minutie sur mes livres pour mettre ensemble tous les morceaux du casse-tête, afin que mes ouvrages soient les plus compréhensibles possible pour mes lecteurs.